"Com imenso prazer e alegre satisfação recomendo mais um brilhante, inspirador e bem-humorado texto do meu amigo, que me tem acompanhado também como profissional nos momentos e caminhos mais escuros da minha alma. Rir é necessário, Daniel é preciso. Ou seu oposto."

— Ed René Kivitz, teólogo e escritor

"Este livro é um deleite para toda e qualquer veia cômica. Imparável de ler e impossível de não gostar!"

— Wellington Nogueira, fundador dos Doutores da Alegria

"Um conteúdo útil e revelador tanto pra quem trabalha com humor quanto pra quem quer ampliar sua percepção de como ele pode ter um efeito terapêutico em nossas vidas. Obrigado, Daniel, você desenhou o mapa completo!"

— Maurício Rizzo, roteirista e ator

DANIEL MARTINS DE BARROS

Rir É PRECISO

Descubra a ciência por trás do humor e aprenda a usá-lo para atravessar períodos difíceis e criar relações mais próximas

SEXTANTE

Copyright © 2022 por Daniel Martins de Barros

Todos os direitos reservados. Nenhuma parte deste livro pode ser utilizada ou reproduzida sob quaisquer meios existentes sem autorização por escrito dos editores.

edição: Nana Vaz de Castro
produção editorial: Guilherme Bernardo
preparo de originais: Sheila Louzada
revisão: Anna Beatriz Seilhe e Pedro Staite
indexação: Gabriella Russano
projeto gráfico e diagramação: Natali Nabekura
imagens de miolo: Wikimedia Commons
capa: Filipa Pinto
impressão e acabamento: Pancrom Indústria Gráfica Ltda.

CIP-BRASIL. CATALOGAÇÃO NA PUBLICAÇÃO
SINDICATO NACIONAL DOS EDITORES DE LIVROS, RJ

B276r

Barros, Daniel Martins de
    Rir é preciso / Daniel Martins de Barros. - 1. ed. - Rio de Janeiro : Sextante, 2022.
    224 p. ; 21 cm.

Inclui bibliografia
Inclui índice remissivo
ISBN 978-65-5564-450-0

1. Humor (Psicologia). I. Título.

22-78521   CDD: 152.43
                                                                       CDU: 159.942.53

Meri Gleice Rodrigues de Souza - Bibliotecária - CRB-7/6439

Todos os direitos reservados, no Brasil, por
GMT Editores Ltda.
Rua Voluntários da Pátria, 45 – Gr. 1.404 – Botafogo
22270-000 – Rio de Janeiro – RJ
Tel.: (21) 538-4100 – Fax: (21) 2286-9244
E-mail: atendimento@sextante.com.br
www.sextante.com.br

A paz começa com um sorriso.
— Madre Teresa de Calcutá

*E Sara disse: "Deus me encheu de riso,
e todos os que souberem disso rirão comigo."*
— Gênesis 21:6

*Mas o fato de que riram de alguns gênios não implica
que todo mundo de quem se ri seja gênio. Eles riram de
Colombo, eles riram de Fulton, eles riram dos irmãos
Wright. Mas eles também riram do palhaço Bozo.*
— Carl Sagan

Sumário

Introdução 9

Parte 1 – Corpo

O que é o riso 27
Sorriso sincero x sorriso forçado 30
Do sorriso ao riso 35
A risada como linguagem 38
Rimos porque algo é engraçado? 44
Humor e comédia 49

Como rimos 53
A teoria da superioridade 54
A teoria da incongruência 57
A teoria do alívio 60
A teoria da excitação e o afastamento das emoções 63
A teoria da violação benigna 68
Um passeio pelo cérebro 75

Parte 2 – Mente

Por que rimos 81
As peças do quebra-cabeça do riso 82
Risos e brincadeiras na evolução das espécies 86
Juntando as peças 90
Ritualização 94
O humor moderno 98
Cócegas no cérebro 100

Quando rimos 107
Vai ser bom, não foi? 109
Do começo... 113
... ao fim 119
Como o passar dos anos... 122
Alívio cômico 126
Quem ri por último? 127

Parte 3 – Sociedade

Onde rimos 133
Necessidade de humor 134
Riso terapêutico 141
Rindo na labuta 147
Aprendendo com humor 151

Quem, de quem e com quem se ri 155
Procura-se risada para relacionamento sério 159
Humor e inteligência 161
Rir dos outros 164
Políticos e ditadores 166
Racismos e outros ismos 170
E aquela do português? 175

Conclusão 179

Agradecimentos 187

Notas 189

Referências bibliográficas 197

Índice 207

Introdução

Você não usa o humor em todo o seu potencial. Sim, é frustrante ouvir isso. É como aquela sensação estranha que temos quando descobrimos, depois de muitos anos utilizando alguma coisa – um eletrodoméstico, um software, um aplicativo –, que não a estávamos usando direito. Ficamos felizes porque de agora em diante a vida será mais fácil, mas também ficamos frustrados por termos perdido tanto tempo sem saber aquilo. Você vai se sentir exatamente assim ao longo deste livro. Mas é melhor descobrir agora. Assim superamos logo a decepção e abrimos caminho para aproveitar os benefícios daqui para a frente.

Todo mundo sabe que o ser humano traz embutida em si uma função chamada humor. É verdade que em alguns ela vem embutida tão fundo que parece não estar lá, mas, em geral, conseguimos entrevê-la e mesmo acioná-la conforme nossa necessidade. Quando isso dá certo, podemos medir o efeito nas pessoas à nossa volta pelos sinais: os sorrisos, as risadas, as gargalhadas ou um infarto agudo do miocárdio de tanto rir – embora esse seja, felizmente, um resultado mais raro.

Além de propiciarem esses momentos prazerosos, os quais

buscamos repetir, o humor e o riso têm um potencial oculto enorme do qual a maioria de nós nem desconfia. Quem melhor conseguiu explorar esse poder até hoje parece ter sido a indústria do entretenimento, que a cada dia aprimora mais as ferramentas e os métodos para nos oferecer risos em troca do nosso dinheiro. É uma equação em que todos ganham, porque quanto mais graça achamos, menos de graça ficam os risos. O que deixa essa indústria rindo à toa. Afora o interesse financeiro, no entanto, pouco interesse científico foi despertado pelo humor ao longo da história da humanidade. Daí nós ignorarmos quão útil ele pode ser.

Meu interesse pelo tema vem de longa data. Antes mesmo de eu desenvolver uma curiosidade profissional, o humor tinha forte presença em minha vida. Desde pequeno percebi que gostava de fazer as pessoas rirem. Primeiro porque eu recebia atenção, um dos bens mais recompensadores para qualquer pessoa (sobretudo para um aparecido como eu). Mas não era só isso. Sentia que os amigos ficavam mais próximos quando ríamos juntos de algo que eu dizia. Professoras e professores, desde o ensino infantil, encorajavam (sem saber) esse comportamento quando trocavam comigo olhares de cumplicidade – inevitáveis quando se compartilha a compreensão de uma piada –, mesmo que fosse para dar bronca pela gracinha. E era um recurso sempre à mão para tentar fugir das represensões ou amenizar os castigos que receberia de meus pais quando eu aprontava alguma. Funcionava com frequência – para revolta de minha irmã mais velha, diga-se de passagem.

Para completar, meu avô paterno, o vô Otávio, sempre foi uma das minhas maiores influências. Criativo, inovador, inteligente, ele também adorava contar piadas. Minha avó Adélia é que não gostava muito daquilo, que lhe parecia certa impertinência, mas não havia almoço de família que não fosse regado a gracejos ou piadas recém-aprendidas por ele. Talvez tenha sido nesse convívio que, sem saber, comecei a vislumbrar a íntima associação que havia entre inteligência e comicidade.

De alguma maneira, o tema foi me acompanhando ao longo da vida, mas, afora informações reunidas aqui e ali – como um recorte de jornal com curiosidades sobre a risada encontrado em minha agenda do ensino fundamental ou um livro de divulgação científica dedicado ao riso que comprei numa viagem –, eu nunca havia me proposto a estudá-lo. Até que, nos anos 2010, uma nova teoria sobre o humor ganhou importância no (diminuto) meio acadêmico dedicado a esse tema, o que aguçou meu interesse científico. Passei a ler sobre essa teoria, suas relações com as visões anteriores, a importância dos aspectos psicológicos e mesmo neurológicos do humor, além dos fatores culturais e sociológicos. Há pouco mais de uma década, portanto, venho acumulando livros e leituras (mais livros do que leituras, como é de praxe), eventualmente dividindo algumas reflexões com leitores de minha coluna no *Estadão*, acalentando o sonho de um dia parar para organizar todo esse conhecimento.

Paradoxalmente, quando eclodiu a pandemia de covid-19 o assunto voltou com força para mim. Digo paradoxalmente porque nada parecia mais distante de nós do que a possibilidade de falar sobre humor diante de tanto sofrimento. Em um momento como aquele, seria possível rir, ou só nos caberia chorar?

Eu não era o primeiro a me fazer essa pergunta. Longe disso

– é uma questão que deve estar presente desde que o primeiro homem das cavernas escorregou numa casca de banana, deixando seu bando na dúvida se ria ou não. No século XVII, a rainha Cristina da Suécia convidou o padre genovês Girolamo Cattaneo e nosso querido padre português Antônio Vieira para um debate sobre o tema. Vieira defenderia que Heráclito, o "filósofo chorão", estava certo: que, diante desse mundo, só poderíamos chorar. Já Cattaneo deveria sustentar que Demócrito, "o filósofo que ria", é quem tinha razão, que temos mesmo que rir nessa vida de dores.

"Quem conhece verdadeiramente o mundo há de chorar; e quem ri ou não chora, não o conhece",[1] afirma o padre português, para quem "o riso de Demócrito era ironia do pranto; ria, mas ironicamente, porque seu riso era nascido de tristeza, e também a significava".[2] Seria, portanto, possível rir nesse mundo sofrido – mas esse riso jamais significaria diversão. Veremos essa ideia se repetir em diferentes contextos ao longo deste livro.

Girolamo Cattaneo discorda. Para ele, é, sim, possível se alegrar mesmo vivendo num mundo com sofrimento: "É benemérita a ação do riso de Demócrito. Ele faz os homens não lamuriosos sob os mesmos tormentos e opressões da vida",[3] defende. Nesse sentido, o riso seria mais valioso do que as lágrimas, pois "se não trouxe proveito nos trouxe satisfação e se não convenceu seus seguidores ao menos os manteve contentes".[4] Mais ou menos como Woody Allen conclui em sua autobiografia: "E talvez eu não possa transmutar meu sofrimento numa grande arte ou filosofia, mas posso escrever boas piadas, o que me distrai momentaneamente e dá um breve alívio contra as consequências irresponsáveis do Big Bang."[5]

É possível, então, "rir de um mundo cruel", como reflete um dos psicólogos mais relevantes nos estudos sobre ética de nosso país, o professor Yves de La Taille. Quando alguém é capaz de rir do estado das coisas, identificando as contradições da realidade e os problemas do mundo, não está "sendo cruel para com o mundo e as pessoas, mas sim observa que o mundo é cruel e faz com que dele possamos rir".[6] Seria uma maneira, como dizia o defensor de Demócrito, de não nos tornarmos lamuriosos, mesmo em condições adversas, já que "no humor existencial – que não nos faz rir do ridículo, mas sim do triste, do cruel –, o sentimento de superioridade não decorre de uma comparação, mas de uma espécie de *compensação*: a adversidade permanece, mas, ao fazer humor, a pessoa de certa forma *vinga-se*, simbólica e inteligentemente, do que ela teve ou tem de aturar" (grifos originais do autor).[7]

Rir – ainda que em meio à tragédia – pode ser também uma forma de tentar se recuperar para seguir em frente. Poucas histórias ilustram melhor essa ideia do que a carta escrita pelo enfermeiro-chefe do serviço de anestesiologia de um hospital em Illinois, nos Estados Unidos, dirigida ao filho de um paciente que faleceu durante a cirurgia. Ela foi publicada no *American Journal of Nursing* em 1985 e dizia o seguinte:

> Você me viu rindo após a morte de seu pai. Eu estava jogando água no rosto em uma pia a meio caminho entre o lobby do pronto-socorro e a sala verde, distante de onde o corpo dele repousava. Alguém contou uma piada boba e eu ri como um idiota, decoro esquecido, até encontrar seu olhar por sobre o ombro da roupa cinza do médico –

seus olhos jorravam lágrimas. Devo ter parecido para você (...) a personificação de tudo o que é frio e impessoal nos hospitais. (...)

Meu riso foi inapropriado, e por isso peço desculpas. Mas foi necessário. (...)

Gosto de pensar que seu pai teria entendido que aquele riso não significa desrespeito. (...) Naquele dia em que você me viu rindo, eu sabia que havia à minha espera outro paciente que precisava de meus cuidados e atenção total na cirurgia. Inclinado na pia e lavando o suor e o vômito do meu rosto e dos meus braços, meu riso era de purificação para mim tal como suas lágrimas eram para você.[8]

Soubesse ou não, o enfermeiro tinha vivido na prática o provérbio iídiche que diz: "O que o sabão é para o corpo, o riso é para a alma."

O mesmo efeito se deu em períodos de muitas maneiras análogos à pandemia de covid-19. Na epidemia de SARS em 2003, por exemplo, levantamentos entre os profissionais de saúde da linha de frente mostraram alto índice de adoecimento emocional, mas o humor foi identificado como um fator protetor.[9] Como é dito na peça *The Doctor's Dilemma* [O dilema do médico], de George Bernard Shaw: "A vida não deixa de ser engraçada quando alguém morre, da mesma forma que não deixa de ser séria quando alguém ri."

Até nos campos de concentração existia humor – e não pouco, como vim a descobrir –, usado como estratégia de sobrevivência: "A vontade de humor – a tentativa de enxergar as coisas numa perspectiva engraçada – constitui um truque útil para a vontade de viver", afirma Viktor Frankl, sobrevivente do Holocausto que posteriormente se tornou um influente psicólogo.[10]

Devo confessar que esse aprofundamento reflexivo acerca da questão veio apenas durante a pesquisa para o livro. O que me levou na direção deste projeto foram algumas coincidências (das quais também só me dei conta posteriormente).

A primeira e talvez a maior delas foi que essa tragédia da covid-19 foi reconhecida como pandemia na mesma época em que eu lançava meu livro *O lado bom do lado ruim* (Sextante, 2020), dedicado ao estudo – e, por que não, à redenção – das emoções negativas. Após muito ler sobre como me livrar da tristeza, vencer a raiva ou superar a ansiedade – sem o menor sinal de que teria sucesso –, fui tomado pela certeza de que as emoções negativas exercem um papel na nossa vida, ou não teriam permanecido instaladas em nossa mente ao longo de nossa história evolutiva. E, ao me voltar para suas origens e funções, descobri formas de lidar com elas e até de usá-las a nosso favor.

O livro foi um grande sucesso, pois estávamos todos em busca de ajuda para atravessar aqueles tempos duros de tristeza, raiva e ansiedade. Insisti muito, muito mesmo, no bordão "Vai passar!". Em artigos, em palestras corporativas, no meu canal no YouTube, em entrevistas, não cansei de repetir: "Vai passar!" Porque eu sabia que realmente passaria e acreditava que era importante renovar as esperanças das pessoas. Mas e depois?, comecei a me perguntar. Como ajudar as pessoas a se reerguer, retomar a vida, seguir em frente?

Foi quando uma segunda coincidência aconteceu. Ainda em

março de 2020, na primeira das centenas de *lives* que eu acabaria fazendo ao longo daqueles meses, surgiu um comentário bem-humorado enquanto discutíamos o que nos esperava pela frente. Eu ri, mas no mesmo instante me perguntei se seria adequado. Então entendi que sim, que podíamos rir. Aliás, *deveríamos*. Não rir da desgraça alheia, obviamente. Não tripudiar do sofrimento ou da dor. Mas encontrar motivos para rir, mesmo em meio a desgraças, faz parte do que nos define como seres humanos, refleti. Se abríssemos mão dessa característica, se nos proibíssemos de rir, então o vírus teria ganhado a batalha. Seria como abrir mão da empatia, do altruísmo. Rir era necessário. No mês seguinte, publiquei um artigo chamado "Já pode rir?", compartilhando parte desse pensamento.

Ao longo da pandemia, voltei algumas vezes ao assunto e uma terceira coincidência colocou-o ainda mais no meu radar. Foi quando usei a comédia para melhorar meu próprio estado emocional.

Era por volta de julho de 2020, quando estávamos para completar meio ano de pandemia. Naquela fase, já sabíamos que não seria um problema passageiro, como acreditamos no início, mas ainda não tínhamos ideia do que nos aguardava. Àquela altura, eu já deveria ter reorganizado minha vida em função das restrições, mas ainda não tinha conseguido entrar numa rotina nova – o que se tornou um grande desgaste. Percebi que estava irritado, cansado, impaciente; tudo me incomodava. Cheguei a pensar que estivesse em depressão – e talvez estivesse mesmo caminhando para isso.

Assim que percebi o que estava acontecendo tomei algumas atitudes: organizei minha rotina com mais afinco; me desconectei por uns dias para descansar; e maratonei a série *Parks and Recreation*. Para quem não conhece, trata-se de uma comédia protagonizada pela comediante Amy Poehler (a voz da personagem Alegria, na animação *Divertidamente*) e que gira em torno do Departamento de Parques e Recreação de uma pequena cidade americana. Eu adoro a série, mas fazia tempo que tinha parado de ver. Naquele período, me disciplinei para assistir todos os dias, até a última temporada, estivesse ou não no clima. E não é que funcionou? Como escrevi num artigo ao *Estadão* de 23 de julho de 2020, em que relatei essa experiência, "mesmo se não estivesse com tanta vontade no início, conforme as risadas iam se sucedendo a empolgação crescia. (…) O consumo de um conteúdo despretensioso e bem-humorado me ajudou tanto a gastar menos energia como a experimentar emoções mais agradáveis". Numa entrevista recente, Amy Poehler reconheceu esse poder na série: "Eu acho – para ficarmos um pouco existencialistas – que quando os tempos são assustadores e inseguros, gostamos de voltar a coisas que já vimos antes. Especialmente a comédia é uma forma de se medicar. Muitas pessoas voltaram a séries que sabiam que as deixariam felizes, a que poderiam assistir com a família e cujo desfecho já conheciam. E penso que *Parks and Recreation* teve a sorte de ser uma delas."[11]

Se isso ainda não fosse o bastante para me convencer, no final do ano o comediante Paulo Gustavo – que viria a nos deixar precocemente, vitimado justamente pela covid-19 – afirmou em uma de suas últimas aparições na TV que o humor era fundamental naquele período. Ele disse: "Esse ano serviu para mostrar que a gente não vive sem a graça, sem o humor. O humor, ele salva, transforma, alivia, cura, traz esperança para a vida da gente." E completou com uma frase que se tornaria emblemática: "Rir é um ato de resistência."

Como costuma acontecer, foi só posteriormente que a sinergia entre esses eventos ficou evidente para mim. Só fui ter plena consciência de que tudo me levava na direção deste livro mais ou menos em... bem, mais ou menos agora, quando sentei para escrever esta Introdução. No início de 2021, eu estava discutindo temas para um próximo livro com a Nana Vaz de Castro, diretora de aquisições da Editora Sextante, e de alguma forma nos pareceu claro que para mim esse era um bom momento de mergulhar no humor, ideia que acalentávamos havia algum tempo. No pós-pandemia, as pessoas precisariam de recursos para se reerguer emocionalmente, se reinventar, se curar, e o humor era a ferramenta ideal. Mas já que, como eu disse no início, não sabemos usá-lo em todo o seu potencial, um livro poderia ajudar muito nessa hora.

Peguei a bibliografia que reuni ao longo dos últimos anos, imprimi os artigos que havia guardado para ler um dia e, com minha editora mordendo meu calcanhar para que eu cumprisse os prazos, me pus a ler, anotar, escrever, ordenar, reordenar, reescrever, até chegar à estrutura que achei mais interessante e didática. Fiel às minhas origens científicas, não bastaria simplesmente oferecer dicas para aplicar na vida e sair rindo por aí. Assim como fiz em *O lado bom do lado ruim*, fui atrás das bases teóricas do riso e do humor para dali extrair sua utilidade. Comecei me fazendo as perguntas essenciais: o que é o riso? O que é o humor? Como, por que, quando, onde, com quem rimos? E, quando vi, o sumário estava pronto. A partir daí, era colocar a mão na massa.

A literatura disponível é interessante, mas pouco vasta, já que, como vimos, o tema nunca despertou muito o interesse dos acadêmicos. Também foram poucos os filósofos célebres que se debruçaram sobre o assunto. Podemos citar Aristóteles, na Antiguidade Clássica; Thomas Hobbes, na Idade Moderna; Henri Bergson, no século XX. Eles constituem alicerces fundamentais para organizar esse edifício, e você os encontrará ao longo da leitura.

Mas não teria sentido olhar apenas para a filosofia se quisesse fazer um panorama mais abrangente – e, principalmente, aplicável na prática. O riso e o humor, afinal, dependem muito do contexto histórico e social – o que é engraçado hoje perde a graça amanhã e o que diverte um japonês pode entediar um americano. Seria importante, então, dedicar parte do livro a essa investigação – que também aparece nestas páginas.

Tampouco podemos esquecer, é claro, que só existem filosofia, sociologia e história do riso porque existe o riso em si, que acontece porque tanto nosso cérebro, do ponto de vista estritamente neurológico, como nossa mente, pensada em seus aspectos funcionais, atuam para a produção e a compreensão do humor e da risada – neurociência e psicologia não poderiam, portanto, faltar.

Assim, dividi o livro em três grandes seções: corpo, mente e sociedade. E, a partir daí, procurei distribuir as perguntas "o quê", "como", "por quê", "onde", "quando" e "com quem" (nessa ordem) entre as diferentes áreas do conhecimento.

A Parte 1: Corpo é dedicada à máquina humana, o hardware cerebral, por assim dizer. Começar pelas definições é sempre um bom começo. O riso é um fenômeno físico, com origem neurológica e manifestação corporal, então estava na seção correta: "o quê". Era preciso também explicar o que eu estava chamando de humor, estabelecendo logo de partida qual é a definição usada, entre as muitas possíveis. Aqui, precisei ir um pouco além do corpo para fazer uma tipologia do humor, mas, num tema tão multifacetado, as fronteiras entre os capítulos não têm mesmo como ser rígidas.

Definido "o quê", era hora de compreender "como". Não se trata de tarefa fácil, pois é preciso primeiro entender as características necessárias para que algo pareça engraçado – ou seja, *como* achamos graça – para depois descobrir como essa graça é percebida pelo cérebro e transformada nos sons e movimentos estereotipados que chamamos de riso. Embora ainda estejamos na seção corpo, um pouco de filosofia é necessário para entendermos o que faz com que, antes de tudo, algo seja engraçado. Compreendidas as principais teorias, recorremos às pesquisas de neuroimagem para explicar os caminhos do riso, desde a entrada desses estímulos – visuais, verbais, etc. – até a saída, na forma de risadas.

Esclarecidas as bases do fenômeno, é hora de nos perguntarmos: mas por que rimos, afinal? Existe um motivo, um propósito? É o que encontramos na Parte 2: Mente, que trata dos aspectos psicológicos. E, sim, descobrimos os prováveis motivos para rirmos quando nos voltamos para a psicologia evolutiva: tudo indica que esse comportamento, quase exclusivo dos seres humanos, tenha nos trazido alguma vantagem ao longo da evolução, já que as pessoas desprovidas de senso de humor aparentemente foram extintas pelo caminho. (Eu sei que você pensou que só escrevo isso porque não conheço seu chefe. Mas, acredite, ele também tem senso de humor – só não sabe usá-lo. Este livro poderia ser um bom presente de amigo secreto, quem sabe?)

O interessante é que essa investigação psicológica do humor ajuda também a desvendar o "quando". Do riso reflexo do bebê, passando pela risada social, sobrevivendo ao humor escatológico das crianças e chegando ao humor ácido das piadas de velório, o tempo é um fator importante no riso, tanto do ponto de vista cronológico quanto no que diz respeito ao *timing* das piadas, como todo comediante sabe muito bem.

A Parte 3: Sociedade caminha do "quando" para o "onde". Sabemos que em cinemas, teatros e casas de show as risadas são constantes. Mas é em lugares improváveis, como hospitais e cenários de tragédias, que sua ocorrência é tanto mais surpreendente quanto mais importante. Na educação, assunto muito sério, rir pode tornar as aulas memoráveis. E elas são ferramentas bastante úteis também no trabalho – embora seja importante tomar certo cuidado, já que rir do chefe no happy hour não tem as mesmas consequências de fazê-lo numa reunião de acionistas.

Depois de toda essa jornada, pensar "com quem" e "de quem" rimos nos ajudará a fazer um grande resumo de vários aspectos do humor. Quando nos damos conta de como o riso é diferente se estamos sozinhos ou em grupo, como ele é influenciado pelas relações hierárquicas, por questões de gênero, quando compreendemos sua relevância nos vínculos pessoais, tudo isso nos leva a retomar a neurociência e a psicologia como um caminho natural de sintetizar a sociologia do riso.

E, à medida que essas perguntas – o quê, como, por quê, quando, onde e quem – forem respondidas, o leitor se dará conta das funções ocultas do humor, dos benefícios de uma boa gargalhada e de que não temos aproveitado bem esse aplicativo que já vem instalado de fábrica em nosso cérebro. A risada tem reflexos no corpo; por exemplo, leva ao relaxamento muscular e à liberação de neurotransmissores associados ao bem-estar. Ela também é capaz de reduzir a tensão no ambiente, trazendo leveza às interações sociais, o que pode ser bastante benéfico, desde melhorar o clima no trabalho até facilitar conversas difíceis. Quem já usou uma piada como forma de iniciar um flerte conhece um dos poderes do riso, mas talvez não tenha percebido que ele também pode ser útil para terminar um relacionamento de forma menos traumática – afinal, como veremos, até a dor física pode ser reduzida com uma boa risada.

Instrumento de crítica e transformação. Lente de aumento para autoanálise. Técnica de persuasão. O humor pode ser tudo isso. E, com sua capacidade única de nos levar a considerar outros pontos de vista, guarda muitas semelhanças com a psicoterapia. Veremos que não é só por estimular emoções positivas que ele ajuda no manejo do estresse, mas também por nos permitir reavaliar as situações, aliviando sua carga emocional.

Mas não quero estragar a graça de ninguém. O objetivo deste livro não é transformar um brinquedo numa ferramenta. Foi Rubem Alves quem me ensinou a diferença: a ferramenta é algo útil, que usamos para alguma coisa, tem uma função clara, enquanto o brinquedo é inútil, não tem uma finalidade a não ser a própria diversão. Segundo ele, brinquedo é tudo aquilo que "não existe para levar a coisa alguma. Quem está brincando já chegou". A matemática seria uma ferramenta; a poesia, um brinquedo. A vida se justificaria pelo que é inútil – o amor, a arte, o prazer. Pensando assim, o humor certamente ficaria na caixa de brinquedos, pois é inutilmente prazeroso. Eu concordo discordando: existem, sim, as coisas definidas por suas funções (as ferramentas) e as coisas definidas pelo prazer (os brinquedos). Entretanto, isso não significa que não possamos brincar com as ferramentas. Quantas charadas matemáticas não são puramente divertidas, por exemplo? Tampouco nos impede de encontrar utilidade nos brinquedos: jogos educativos educam, mas não deixam de ser divertidos. Falar em utilidade da brincadeira não precisa, portanto, ser uma contradição.

O sociólogo e teólogo Peter L. Berger traça um paralelo interessante entre o cômico e o lúdico, mostrando que ambos são pausas que damos nas "atividades sérias e mundanas da vida cotidiana", diz ele, concluindo que, "possivelmente, a experiência do cômico está baseada na disposição humana para jogar".[12] Brincadeira, sim. Divertido, com certeza. Mas útil, por que não? Num estudo sobre emoções positivas, pouco mais de um terço dos participantes disse usar o humor de forma consciente para se livrar de um estado negativo, como ansiedade, nervosismo ou tristeza, ou para se manter positivo. Veja que muita gente já descobriu como brinquedos podem ser úteis.[13]

Então é isso: o humor será sempre um brinquedo e deve se manter prazeroso, mas é também uma ferramenta útil. Este livro não pretende mudá-lo de caixa. Está mais para um manual de instruções. Eu sei, a gente raramente lê esses manuais – e exatamente por isso deixamos de aproveitar tudo o que poderíamos, sejam ferramentas ou brinquedos.

Espero que você aprenda mais sobre o humor, que se divirta lendo este manual e que ria das eventuais piadas que encontrar por aqui. Mas espero acima de tudo que, após descobrir a ciência e os benefícios do riso, você perceba que rir é preciso!

PARTE 1

Corpo

O que é o riso

Qual é o quadro mais famoso do mundo? Aposto que você pensou na *Mona Lisa*, aquela simpática senhora retratada por Leonardo da Vinci que reúne multidões para vê-la todos os dias. Muitas razões se somaram ao longo do tempo para que essa pintura tenha sido elevada à categoria de ícone cultural, tornando-se talvez a obra de arte mais reconhecida em todo o planeta: a técnica do *sfumato*, em que os contornos do desenho não são claramente demarcados; a história de ter sido roubada em 1911 e reaparecido dois anos depois, que ajudou a torná-la conhecida; as várias releituras que outros mestres fizeram dela, desde Salvador Dalí, que fez um autorretrato na mesma pose, até Andy Warhol, que fez várias gravuras a partir da imagem original.

Além de todos esses motivos, é impossível não falar de seu elemento visual central: o sorriso. Afinal, o quadro é conhecido também como *La Gioconda*, termo que, embora faça referência ao provável marido da mulher retratada, Francesco del Giocondo, coincidentemente ou não também significa "a sorridente", "a alegre", "a brincalhona" em italiano – *giocondo* vem do latim *jocosus*, mesma palavra que em português deu origem a "jocoso".

Lembro que, quando eu era pequeno, não via nada de mais

nesse detalhe do quadro. Um sorriso é um sorriso, o que haveria de tão especial ali? É que quando somos crianças ainda não fomos apresentados à complexidade do mundo e dos afetos que nele habitam. Precisamos de tempo para descobrir que a vida não se resume a alegria e tristeza, como nos parece incialmente, com seus respectivos risos e choros. Somos um amálgama complicadíssimo de emoções. Por trás de um sorriso pode haver alegria, sim, mas também desprezo, vergonha, nervosismo, sedução, deboche, constrangimento, maldade, tornando essa expressão facial muito mais ambígua do que imaginamos.

Essa ambiguidade é um dos grandes segredos por trás da obra-prima de Da Vinci. Primeiro porque o sorriso parece evanescente – ora está lá, ora não está. Se nos fixamos diretamente nos lábios, eles parecem diferentes de quando observamos os olhos, como se a Gioconda estivesse disfarçando o sorriso. Segundo a teoria da pesquisadora Margaret Livingstone, da Universidade Harvard, essa impressão se deve às características do olho humano, que captaria melhor as imagens sombreadas com a visão periférica – elas são mais difíceis de distinguir quando tentamos nos fixar nos detalhes. Esse seria o motivo de a expressão da modelo mudar dependendo de como olhamos para o quadro.[1]

Além disso, depois que conhecemos a miríade de emoções que podem estar por trás de um sorriso, fica difícil afirmar com certeza o que a Mona Lisa estava querendo expressar. Ou disfarçar.

Uma tentativa – jocosa, no mesmo espírito do quadro – foi feita por um grupo de cientistas, com o auxílio de um software de reconhecimento de expressões. O programa de computador não havia sido desenvolvido para analisar quadros antigos, muito menos emoções sutis, e talvez por isso mesmo tenha concluído que a pintura representava uma mulher 83% feliz, 9% enojada, 6% assustada e 2% enraivecida. Apesar de ser um resultado "não científico", como disseram os pesquisadores, ele ajuda a entender por que "misterioso" continua sendo um adjetivo apropriado para descrever o sorriso da Mona Lisa.[2]

É bem provável que aquele risinho ali também não seja de prazer. Pelo menos na opinião de um grupo de neurocientistas que bolou uma experiência curiosa: dividiram os lábios da risonha senhora ao meio e espelharam cada metade, obtendo dois sorrisos diferentes (Figura 1.1). Perguntaram então a um grupo de voluntários o que aqueles sorrisos representavam. Antes de saber os resultados, tente fazer o teste observando as duas imagens:

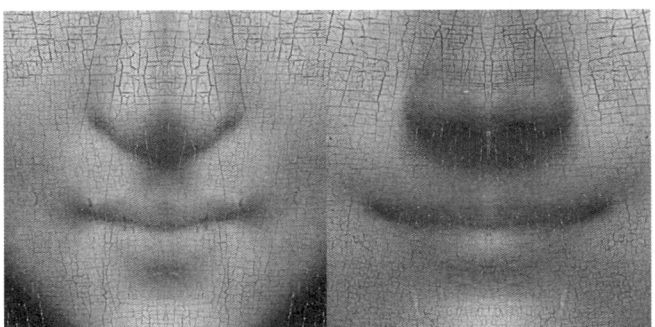

Figura 1.1

O que você achou? Provavelmente considerou que o sorriso da direita expressa alegria, acompanhando a opinião de 92,8% das pessoas que participaram do estudo. Por outro lado, ninguém achou o mesmo sobre a imagem da esquerda: 83,3% entenderam que era uma expressão neutra, 12% acharam que era cara de nojo e 4,7% interpretaram como tristeza – ninguém viu alegria ali. Os números não são suficientes para fechar a questão sobre o significado desse sorriso, mas são provas suficientes para, segundo os cientistas, concluirmos que Da Vinci não queria dar a impressão de que a Mona Lisa estava realmente feliz,[3] já que o sorriso emocional, espontâneo, motivado pela sensação de prazer e alegria é quase sempre simétrico. Observador e detalhista como era Da Vinci, a assimetria desse sorriso não deve ter sido um deslize – provavelmente ele quis, em vez de retratar um sorriso feliz, traduzir a complexidade desse gesto. Como bem coloca Frans de Waal:

> Duvido muito que o sorriso seja a face "feliz" de nossa espécie, como se afirma com frequência nos livros sobre emoções humanas. O que está por trás dele é muito mais rico, tem outros significados além de alegria. Dependendo das circunstâncias, o sorriso pode transmitir nervosismo, necessidade de agradar, de tranquilizar outras pessoas ansiosas, uma atitude acolhedora, submissão, diversão, atração, etc. Será que todos esses sentimentos são captados quando os chamamos de "felizes"?[4]

Qual seria o sorriso da Mona Lisa?

Sorriso sincero x sorriso forçado

E como saber se um sorriso é genuíno? Duas tecnologias foram fundamentais para a identificação dos elementos que caracterizam um sorriso sincero: a fotografia e a eletricidade. No século XVIII, o médico e cientista Luigi Galvani descobriu que a fisiologia animal era movida a eletricidade. Literalmente, no caso, já que a aplicação de correntes elétricas em cobaias, mesmo mortas, produziam contrações musculares, gerando movimento.

Apesar do interesse despertado pela descoberta, sua aplicação no estudo da expressão facial humana teria que esperar ainda meio século, até que o médico francês Guillaume-Benjamin-Amand Duchenne, conhecido como Duchenne de Boulogne, resolvesse estudar mais a fundo os nervos e músculos humanos. Duchenne foi o primeiro a descrever formalmente diversos transtornos neurológicos – existe um tipo de distrofia muscular que até hoje leva seu nome –, sendo um dos fundadores da especialidade da neurologia. No entanto, sua curiosidade ia além das doenças, e seu grande interesse no estudo do que Galvani chamara de eletricidade animal o levou a desenvolver uma técnica para estimular a pele, observando a contração dos músculos logo abaixo.

Entusiasta de primeira hora da então recém-desenvolvida fotografia, Duchenne passou a registrar não apenas os sinais neurológicos dos pacientes que atendia, mas também os resultados de suas experiências com estimulação elétrica. Esse trabalho culminou na publicação de sua influente monografia, *Mécanisme de la physionomie humaine* (Mecanismo da fisionomia humana), na qual pretendia nada mais nada menos do que criar um atlas dos nossos estados mentais a partir das expressões faciais. Para isso, ele estimulava grupos isolados de músculos no rosto de voluntários, induzindo contrações que eram então registradas em fotografias e catalogadas. Embora a intensidade das contrações conferisse um ar caricatural às imagens, o trabalho permitiu de fato que se fizessem descobertas interessantes sobre as expressões faciais, sendo uma das grandes influências de Charles Darwin em seu livro *A expressão das emoções no homem e nos animais*.

Figura 1.2

Descobrir os músculos envolvidos no sorriso foi mais desafiador. Ao estimular o zigomático maior, responsável por erguer o canto da boca, Duchenne obtinha um sorriso pouco convincente em seu modelo (Figura 1.2, esquerda). Intrigado, o cientista desligou os eletrodos e contou uma piada – que, infelizmente, não foi registrada pela história da ciência –, e aí, sim, obteve a reação que mostra um sorriso muito mais alegre, parecendo legítimo (Figura 1.2, direita).

Ao estudar as diferenças entre as imagens, Duchenne conseguiu descobrir o que distingue um sorriso falso de um verdadeiro. Depois de muitos choques, ele percebeu que, além de simétrico, o sorriso que se origina de uma emoção positiva não se limita à boca. O movimento, quando autêntico, é combinado com a contração da musculatura ao redor dos olhos (músculo orbicular do olho), o que ergue também as maças do rosto e enruga a pele no canto dos olhos – quem diria que os tão temidos pés de galinha são sinais de alegria? Em seu livro, Duchenne descreve essa descoberta de forma um tanto quanto poética:

> A emoção de franca alegria é expressa no rosto pela contração combinada do músculo zigomático maior e o orbicular do olho. O primeiro obedece à vontade, mas o segundo só entra em jogo pelas doces emoções da alma. (…) a alegria falsa, o riso enganoso, não pode provocar a contração deste último músculo. (…) O músculo à volta do olho não obedece à vontade; só entra em ação por um sentimento verdadeiro, por uma emoção agradável. A sua inércia, ao sorrir, desmascara um falso amigo.[5]

É por isso que os cientistas e pesquisadores do tema até hoje se referem ao sorriso verdadeiro como "sorriso de Duchenne". E é por isso também que sabemos que La Gioconda não estava tão feliz assim. Obviamente, quando estamos posando nem sempre teremos o sorriso mais espontâneo do mundo e não devia ser nada fácil sustentar esse sorriso pelo tempo necessário para que se tivesse seu retrato pintado. Ainda assim, Da Vinci poderia muito bem ter delineado os lábios da modelo de forma mais simétrica e enrugado o canto de seus olhos. Ao optar por não fazê-lo, acrescentou mistério à sua obra imortal.

Nós conseguimos intuir quando nossos interlocutores estão sendo sinceros diante de nós. Herdeiros do trabalho de Duchenne, psicólogos substituíram modelos vivos e choques elétricos por modelos virtuais cujos músculos faciais podiam ser acionados por meio de um software de computação gráfica, gerando vários tipos de sorriso. Em seguida, eles pediram a voluntários que classificassem as faces mostradas de acordo com três tipos:

- Risos de afiliação – aqueles que exibimos para nos conectar com os outros.
- Risos de diversão – oriundos da sensação de prazer.
- Risos de dominância – como os que damos ao nos sentirmos superiores a alguém.

Os voluntários conseguiram classificar as faces graças a algumas características nítidas: o riso de afiliação mostrava os lábios mais comprimidos, o riso de diversão era acompanhado de sobrancelhas erguidas e só o riso de dominância era assimétrico, com um vinco no nariz e o lábio superior erguido (estaria Mona Lisa desdenhando de nós?). Depois de classificadas, as imagens foram apresentadas a outro grupo de voluntários, que tinham de dizer quais risos transmitiam sentimentos positivos, quais revelavam conexão e quais denotavam superioridade. De forma geral, os dois primeiros tipos foram corretamente identificados como positivos, mas o de diversão foi menos associado à mensagem de conexão. E o riso de dominância, que projeta superioridade, não tinha nada de positivo.[6]

O sorriso de Duchenne, portanto, é aquele que reflete alegria ou prazer e que surge espontaneamente no rosto, sendo até mesmo difícil de disfarçar. Já o sorriso não Duchenne, embora também possa ser automático e involuntário, não é disparado por emoções positivas, o que muitas vezes fica evidente. Pense naquela situação em que você ganha um presente de um colega de trabalho com quem não tem a menor intimidade – numa festa de fim de ano, digamos. Na hora em que pega o pacote, começa um coro pedindo "Abre! Abre!", expondo ambos à hora da verdade. Você o desembrulha lentamente, adiando o constrangimento, pois sabe que no momento em que abrir a caixa será impossível disfarçar se não gostar do presente: é difícil ficar realmente satisfeito com um porta-guardanapo, o que ficará evidente em seu sorriso amarelo. Como disse o próprio Duchenne, "o músculo à volta do olho não obedece à vontade".

Isso não significa que o sorriso não Duchenne seja necessariamente uma mentira. Somos condicionados a sorrir por educação, o que passa a acontecer de forma automática e inconsciente também em situações sociais. Ao sermos apresentados a alguém, por exemplo, não precisamos pensar "tenho que sorrir". O sorriso surge como um movimento automático de saudação, independentemente de estarmos alegres com o encontro. O que distingue o sorriso "verdadeiro" do "falso", portanto, não é ser automático ou consciente, mas as emoções por trás dele e as características físicas que ele expressa.[7] E isso, como acabamos de descobrir, não é nada fácil de fingir. As diferenças visíveis entre eles nos impedem de fingir um riso emocional.

Do sorriso ao riso

Existe uma discussão sobre qual a relação entre o sorriso e a risada. Etimologicamente, "sorriso" vem do latim *subridere*, ou seja, seria um sub-riso, uma forma mais branda da risada aberta. Não é raro que eles sejam realmente como degraus em uma escada, um precedendo o outro em intensidade. É o que ocorre nas ocasiões em que, por algum motivo, temos que controlar a risada: a sensação de divertimento surge em nós, mas, cientes da inadequação de uma gargalhada naquele momento, tentamos segurar a reação – o que muitas vezes só a torna mais irresistível. Ainda que consigamos evitar a explosão sonora, é muito provável que ao menos um sorriso seja indisfarçável, que tentamos, inutilmente, esconder com a mão ou com uma falsa crise de tosse. Segundo Frans de Waal, um dos maiores especialistas do mundo em primatologia, até mesmo chimpanzés têm dificuldade de desmanchar o sorriso e tentam escondê-lo com as mãos.[8]

Para o antropólogo Helmuth Plessner, a diferença entre os dois fenômenos é que no riso o "homem é vítima de seu espírito, enquanto no sorriso ele o expressa".[9] Embora não esteja de todo correto ao imaginar o sorriso como um movimento inteiramente sob nosso controle, Plessner acerta na mosca ao dizer que a risada nos vitima. Vários pensadores que se debruçaram sobre o tema pensam da mesma forma, do filósofo Terry Eagleton, que coloca o riso no "limiar entre a natureza e a cultura", representando uma "colisão entre corpo e mente", ao próprio Frans de Waal, segundo o qual "o riso une corpo e mente, fundindo-os num todo".

Poucas pessoas estudaram tanto a risada como o neurocientista Robert Provine. Eu o conheci totalmente por acaso, numa viagem aos Estados Unidos em 2005. Se você pensou que tive o prazer de encontrá-lo ao visitar seu país de origem, saiba que não foi nada disso: eu estava apenas passeando pelas prateleiras de uma livraria quando a capa de seu livro mais famoso, *Laughter: A Scientific Investigation* (Risada: Uma investigação científica), chamou minha atenção. Ela mostrava um senhor de face rechonchuda em close, no meio de uma – provavelmente – sonora gargalhada. Se você não pulou a Introdução, sabe que o tema sempre me interessou, e encontrar um livro inteiramente dedicado a ele, de um ponto de vista científico, era como achar um tesouro. De fato, *Laughter* é uma obra de referência no assunto, tendo sido citado em mais de 1.300 trabalhos até hoje – só para dar uma ideia de comparação, o livro de Freud sobre as relações entre as piadas e o inconsciente, *Os chistes e a sua relação com o inconsciente*, tem cerca de metade desse número de citações.

Provine desenvolveu uma abordagem inovadora para o estudo da risada. Em vez de teorizar sobre seus significados e suas funções, ele e seus alunos saíram a campo observando a risada no mundo real e sistematicamente anotando tudo o que era possível sobre ela: quando ocorria, quanto tempo durava, quem ria, em que volume. Reuniu uma grande quantidade de dados, dos quais surgiram padrões pouco evidentes até então.

Uma das principais descobertas – mas que hoje, à luz do que já sabemos, pode não impressionar mais os leitores – é que o riso é uma reação involuntária. Apenas metade das pessoas observadas era capaz de rir voluntariamente enquanto a outra metade dizia "hahaha" e achava que estava rindo. Não se tratava de um riso genuíno, é claro, aquele de balançar a pança (e enrugar os olhos), mas de uma simulação.

Além de não ser para qualquer um, ativar de propósito

os mecanismos prazerosos que levam à risada não é tarefa rápida. As pessoas no estudo levavam menos de um segundo (0,9 segundo, para ser preciso) para dizer "hahaha", mas demoravam em média mais que o dobro desse tempo (2,1 segundos) para produzir uma risada genuína. Essa latência indica menos controle voluntário: quanto mais gerência temos sobre uma reação, menos demoramos para conseguir produzi-la. Por isso a latência também era longa quando se pedia aos voluntários que tentassem chorar, fosse apenas derramar lágrimas (*crying*) ou chorar de soluçar (*sobbing*), e esse padrão se repetia em outras vocalizações carregadas emocionalmente.[10] As reações emocionais, difíceis de produzir apenas pela nossa vontade, se mostraram essenciais para a risada genuína.

Assim como reconhecemos alguém pela fala, é mais fácil reconhecer as pessoas por suas risadas propositais ("falsas" ou "forçadas") do que por suas risadas espontâneas (ou "emocionais"), fato que reforça quão pouco controle temos sobre a risada verdadeira e como a risada proposital é mais próxima da vocalização voluntária do que do humor.[11]

A risada como linguagem

Tirando o fato de ser involuntário, o mecanismo do riso é em muitos aspectos parecido com o da fala: em ambos nós modulamos a expiração para produzir sons que transmitem uma mensagem. A estrutura da risada é a mesma em qualquer lugar do mundo: o diafragma e os músculos do tórax se contraem de forma espasmódica, expelindo ar de modo a produzir sílabas marcadas por vogais (rá-rá-rá, hehehe) que duram um tempo bastante curto (cerca de 75 milissegundos) e são repetidas a intervalos regulares um pouco mais longos (210 milissegundos). É difícil modificar essa estrutura, e qualquer alteração, seja na duração, no intervalo ou na sonoridade, dá à risada um aspecto artificial.

Essa característica estereotipada faz da risada uma linguagem universal. Mesmo com pequenas variações dependendo do contexto ou da cultura, reconhecemos se tratar de uma risada onde quer que a escutemos.[12] Trata-se de fato de uma linguagem e, por menos que percebamos, sujeita a regras tão claras como as de pontuação.

Pode parecer estranho à primeira vista, mas a risada é também uma maneira de marcar nossas ideias, pontuando as frases faladas, assim como fazemos na escrita. Não percebemos isso pois achamos que rimos apenas quando ouvimos algo engraçado – o que nos leva a subestimar o quanto rimos. Quer ver? Tente estimar quantas risadas você dá durante uma conversa. Digamos que fique 10 minutos papeando com alguém. Quantas risadas serão dadas? Nenhuma? Uma? Duas? Para nossa surpresa, os estudos observacionais mostram que rimos cerca de cinco vezes a cada 10 minutos e que esses risos se seguem muito mais a falas nossas do que a frases engraçadas ditas pelo nosso interlocutor.[13]

Exatamente como acontece com o sorriso, que pode ser automático mesmo sem ser emocional, também a risada pode ser quase inconsciente, mesmo quando se trata de um ato de comunicação. Em suas anotações de campo, registrando mais de mil momentos, a equipe de Provine teve certeza de que o riso tinha a função de pontuar o final das falas ao se dar conta de que nunca acontecia no meio da frase. As falas eram quase sempre (em 99,9% das vezes) algo como: "Da próxima vez você que cozinha, hein? Haha." Apenas em 0,1% dos registros a risada interrompia a frase: "Da próxima vez... haha... você cozinha." Disputando o mesmo aparelho vocal, fala e riso precisam se coordenar entre si e também com a respiração. Assim, de maneira automática, colocamos as risadas no fim das frases, o que nos permite completar o raciocínio e sinalizar sua conclusão – o riso seria, nesse caso, um elemento sonoro equivalente ao ponto-final.[14]

Você pode começar a prestar mais atenção nas suas próximas conversas a partir de agora, percebendo esse padrão, mas se quiser ter uma prova imediata de como isso se dá, há evidências ao alcance de sua mão. Dê uma olhada em qualquer conversa recente que tenha mantido por meio de mensagens de texto. Pensando bem, eu não deveria ter pedido isso. Há grandes chances de você ter parado para checar notificações, aberto as redes sociais, respondido e-mails, perdido totalmente o fio da meada e estar voltando à leitura horas depois. Se isso aconteceu, deixe-me lembrar onde paramos: eu dizia que a risada funciona como uma espécie de pontuação em nossa fala, da mesma forma que os sinais gráficos na escrita, e as mensagens de texto são prova disso. Mas não! Não pegue o celular novamente. Permita que eu compartilhe aqui uma conversa típica, de ninguém específico mas de quase todo mundo:

> Bom dia, tudo certo pra reunião das 10h?

> Terminando a apresentação. Meio nervoso. :'D

> Que isso, você tira de letra! :)

> Sei lá, o chefe não estava com cara de bons amigos... rs

> É tranquilo, é só mostrar o que a gente discutiu, não é um bicho-papão. Pior se fosse pra diretoria. Kkk

> Tem razão! :D Até já.

> Não esquece, hein? Rs

> Como??? Kkkkk

Repare no tanto de risos e sorrisos, traduzidos em "rs", "kkk" ou emojis. Agora note o contraste com o tom da conversa. Veja que não há nada de efetivamente engraçado – é apenas um diálogo encorajador, com um ou outro comentário leve de um colega de trabalho animando o outro. Os sinais de risada aparecem exatamente nos mesmos momentos em que esperaríamos ouvir as risadas numa conversa ao vivo: no final das frases e proferidas por quem acabou de falar. E isso não só no seu ou no meu telefone: cientistas observaram o mesmo padrão numa amostra de mil mensagens eletrônicas.[15]

É um uso tão frequente que, em 2015, o emoji 😂 (chorando de rir) foi eleito a "palavra do ano" pelo Dicionário Oxford. Todo ano é escolhida uma palavra de grande impacto cultural, que reflita o ambiente e funcione como síntese daquele período. Para dar uma ideia, em 2016 a palavra eleita foi "pós-verdade"; em 2021, "vax", em referência às vacinas, tão comentadas em função da pandemia. A justificativa para a escolha de 2015 foi que, de cada cinco emojis usados pelas pessoas, um era esse.[16] Não deixa de ser irônico o fato de os acadêmicos escolherem um símbolo que imaginavam representar muitas palavras – alegria, contentamento, felicidade intensa, grande satisfação – quando na verdade era apenas um substituto para o ponto-final ou as reticências. Isso mostra quão pouco entendemos a função da risada na comunicação do dia a dia.

Há praticamente 100 anos, esse aspecto do riso como linguagem já tinha sido notado pelo psicólogo Henry C. McComas, professor de Psicologia da Universidade Princeton. Ele afirma:

> Certamente, os prazeres que nascem das sensações, atividades e instintos não podem dar conta de todas as formas de riso. Eles não participam do riso de escárnio, por exemplo, ou do riso de constrangimento. Essa risada é um artifício. Está aliada à linguagem. Não é o resultado natural de uma experiência prazerosa. É, antes, um meio de transmitir uma ideia, uma forma de declaração.[17]

Basta pensarmos um pouco sobre o assunto para vermos que é patente a verdade dessa frase de quase um século atrás.

Esse é um dos motivos pelos quais nem sempre mais risadas estão associadas a mais bem-estar. Um estudo que monitorou a frequência com que as pessoas riem até conseguiu estabelecer uma relação entre esses dois aspectos ao descobrir que quem ria menos era mais afetado negativamente por situações ruins ao longo dos dias, mas outra pesquisa não encontrou o mesmo resultado: dar risadas mais frequentes não se mostrou ligado nem a mais emoções positivas nem a menos emoções negativas ao anoitecer ou na manhã seguinte. Sabendo o que sabemos hoje – que na maior parte das vezes rimos sem achar graça –, fica fácil compreender que não basta olhar para a frequência de sorrisos, é preciso avaliar sua sinceridade.[18]

A risada genuína é uma condição também para que ela exerça o efeito de aumentar a tolerância à dor. Num experimento famoso, pacientes submetidos a cirurgias ortopédicas relatavam menos dor durante o procedimento quando podiam escolher filmes de qualquer gênero para assistir, mas os que viam comédias faziam menos requisições de analgésicos.[19]

Existem outras formas de se avaliar a analgesia do riso, as mais comuns sendo apertar progressivamente o braço das pessoas com aparelhos de pressão ou pedir para mergulharem o braço num balde com gelo – ambos até não aguentarem mais. Os estudos na área sempre mostram que pessoas expostas a comédias tendem a aumentar a tolerância a essas torturas, mas, em geral, só se derem risada. Mais recentemente, contudo, descobriu-se que esses efeitos analgésicos só são obtidos quando expressamos o riso emocional.[20]

Se ainda assim é difícil nos livrarmos da impressão de que o riso é sempre ligado ao prazer – em vez de ser apenas o ponto-final de uma frase, como na maioria das vezes –, a culpa é, em grande parte, do humor.

Rimos porque algo é engraçado?

Originalmente, a palavra "humor" se referia aos líquidos corporais. Os gregos chamavam de "humores" o sangue, a linfa, a bile e a bile negra (esta última não existe de fato). Acreditava-se à época que o equilíbrio entre os humores era o segredo da boa saúde, e a prevalência de um humor sobre os outros determinava o temperamento dos indivíduos. Foi por isso que nossas disposições afetivas e nossas tendências passaram a ser associadas ao nosso humor.

Em 1682, registrou-se na Inglaterra pela primeira vez o uso da palavra "humor" como utilizado ao longo deste livro, isto é, como mensagens produzidas e apresentadas com o objetivo de provocar risadas (ou, no mínimo, sorrisos) emocionais, não os protocolares ou fingidos.[21] Seja pelo prazer que nos proporciona, seja pela indústria que movimenta e o tanto de dinheiro que envolve, o fato é que a partir de então esse significado praticamente ofuscou os outros. Essa associação é tão forte que hoje, quando pensamos em humor, na mesma hora pensamos em risada, e vice-versa. Daí nos espantarmos quando percebemos que, na prática, rimos muito mais de frases triviais do que de frases engraçadas.

Outro fator que distorce nossa percepção e nossa lembrança de quando rimos é o impacto emocional do momento. A emoção é um fator crucial para que a memória fixe uma informação – é mais fácil nos lembrarmos do menu de um jantar romântico meses atrás do que recordarmos o que almoçamos ontem. E quando rimos para simplesmente pontuar as frases, não há emoção envolvida, ao contrário do que ocorre quando achamos graça em algo. Esses momentos se tornam, então, mais disponíveis em nossa memória, parecendo ser mais frequentes.

Compreendido como a expressão de mensagens que nos fazem rir, o humor pode ser classificado de diversas maneiras:

- Quanto ao meio utilizado: verbal, físico ou visual, principalmente (ainda que existam outras formas menos comuns, como humor musical, humor matemático, etc., já que em toda linguagem é possível se fazer graça, ou pelo menos tentar).
- Quanto à intenção: acidental ou proposital.
- E mesmo quanto à sua valência emocional: positiva ou negativa.

Embora desde o século XVII os escritores distingam o humor positivo (quando rimos *com* as pessoas) do humor negativo (aquele hostil, em que se ri *das* pessoas), foram necessários 400 anos para que essa distinção passasse a ser mais valorizada nos estudos científicos, a partir do desenvolvimento, no século XXI, de questionários e instrumentos para avaliá-los separadamente. Quando os resultados começaram a mostrar que o humor positivo estava mais associado a consequências desejáveis, como bem-estar emocional, em oposição ao que ocorria com o humor negativo, os pesquisadores passaram a chamá-los de humor adaptativo ou humor mal adaptativo, respectivamente.[22]

Esses pesquisadores afirmaram ainda que existem quatro estilos principais de humor, dois positivos e dois negativos[23] (ver Figura 1.3). O estilo *afiliativo* é o tipo que azeita nossas relações sociais, facilitando as interações, elevando o espírito e aliviando a tensão dos grupos; é divertido e inerentemente positivo. O humor *self-enhancing*, que poderíamos traduzir como *de autodesenvolvimento*, é utilizado para lidar com as adversidades, alimentando uma visão mais leve sobre os problemas, o que, obviamente, também é positivo. No polo oposto temos o humor *agressivo*, marcado por sarcasmo, ironia, geralmente usado para atacar os outros. Como bem descreve o filósofo André Comte-Sponville, "a ironia não é uma virtude, é uma arma – voltada quase sempre contra outrem".[24] E existe também o humor *autodepreciativo*, em que a pessoa ataca a si própria. Embora seja um recurso bastante usado por comediantes profissionais, seu uso frequente no dia a dia pode refletir problemas como baixa autoestima. Esse tipo de humor não é necessariamente negativo, ainda de acordo com Comte-Sponville, desde que seja também uma maneira de "rir com" e não "rir contra" – rir consigo mesmo pode ser bom; rir contra si, possivelmente não.

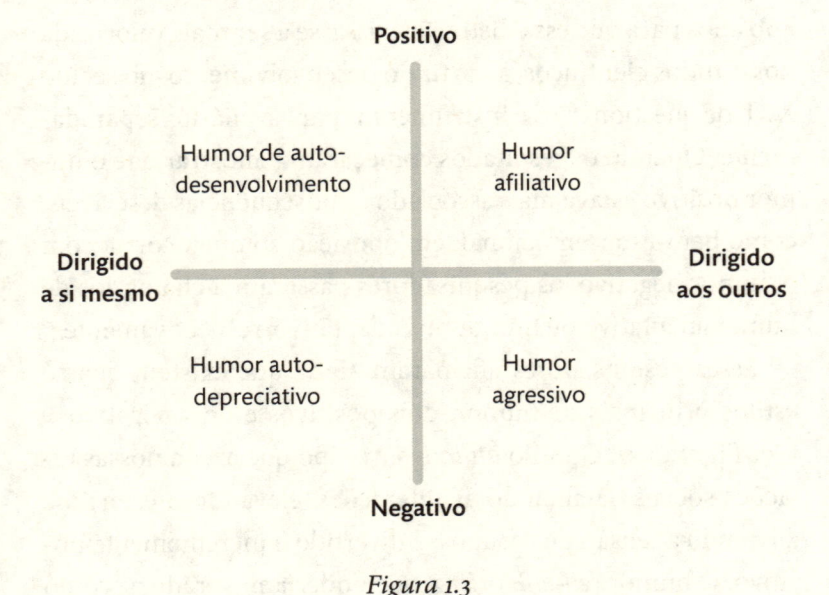

	Positivo	
Humor de autodesenvolvimento		Humor afiliativo
Dirigido a si mesmo		**Dirigido aos outros**
Humor autodepreciativo		Humor agressivo
	Negativo	

Figura 1.3

Nessa mesma linha de se tentar classificar o humor, Wolfgang Schmidt-Hidding, um linguista alemão – ironicamente, povo com fama de ser pouco risonho –, definiu a existência de oito estilos a partir de uma análise do vocabulário moderno:[25]

- Humor – forma de enxergar as incongruências do mundo.
- Sagacidade – jogos feitos com ideias e palavras.
- Diversão – agradável forma de elevar o moral.
- Ironia – expressão, como verdade, de algo diferente do que se quer dizer.
- Sátira – demonstração agressiva de desprezo pelos defeitos do mundo.
- *Nonsense* – brincalhão e engraçado, faz das incoerências seu material.
- Sarcasmo – forma dirigida a ferir os outros.
- Cinismo – negação e ataque para desonrar valores.

Estudos subsequentes mostraram que humor, diversão e *nonsense* tendem a se aproximar do humor adaptativo, ao passo que ironia, sátira, sarcasmo e cinismo estão mais ligados ao humor mal adaptativo, e sagacidade estaria em algum lugar no meio do caminho.

Seja da forma que for – positivo ou negativo, escrito ou desenhado, adaptativo ou mal adaptativo –, o humor sempre aparecerá onde nós humanos estivermos. Em cidades tecnológicas e em grupos isolados, entre bilionários e entre desamparados, em festas de aniversário e em velórios, até entre carcereiros e prisioneiros, somos incapazes de abrir mão de, pelo menos em alguns momentos, olhar a situação por outro lado, imaginar uma alternativa absurda, tecer algum comentário incongruente, fazer uma careta inesperada.

Embora varie de acordo com a cultura, o contexto e os interlocutores, o humor é uma constante humana. O sociólogo Peter L. Berger comenta:

> A capacidade de perceber algo como sendo engraçado é universal; não existe cultura humana sem ele. Ele pode seguramente ser visto como um elemento imprescindível da humanidade. (...) Ao mesmo tempo, o que as pessoas acham engraçado e o que elas fazem para provocar uma resposta bem-humorada variam muito em cada época e em cada sociedade. Em outras palavras, o humor é uma constante antropológica *e* é historicamente relativo.[26] [Grifo do original.]

Para ele, a experiência cômica é uma esfera independente de nossa vivência, não se relacionando a moral, ética ou mesmo estética.

> O cômico parece estar estranhamente além do bem e do mal. (...) faz também muito pouco sentido perguntar se uma piada é bela ou feia. Há o domínio da experiência estética e o domínio da experiência cômica, mas os dois parecem ser bastante independentes um do outro.[27]

Humor e comédia

Talvez em nossa experiência o humor não pareça assim tão universal, pois muitos têm grande dificuldade quando precisam fazer algo engraçado de propósito. Essa sensação é enganosa e acontece porque pensamos em humor e comédia como sinônimos ou equivalentes. Embora a função da comédia seja apresentar conteúdos humorísticos concentrados com a intenção de provocar risadas em quantidade, o humor é apenas a capacidade que todos temos (alguns com mais dificuldade do que outros, é verdade) de notar o que é divertido, até mesmo ridículo – o que já é uma forma de humor –, e também de ir além, fazendo piadas de vez em quando, abordando um assunto de forma jocosa.

Uma analogia de que gosto muito é apresentada pelas escritoras Jennifer Aaker e Naomi Bagdonas.[28] Elas dividem o humor em três níveis: leveza, humor e comédia, e estabelecem uma comparação com o nível de atividade física que fazemos. A leveza é um estado de espírito, um mindset, como se convencionou chamar nosso conjunto de crenças e disposições, e é análogo à movimentação natural do corpo. Estamos continuamente fazendo alguma atividade física espontânea e não programada, seja andando até a estação de metrô, mudando coisas de lugar, carregando livros.

Assim como pequenas mudanças nesse comportamento – como trocar o elevador por escadas, escolher percursos mais longos – já são suficientes para provocar impactos na nossa saúde, prestar atenção no nosso estado de espírito, aumentando a atenção para o que pode ser engraçado, sorrindo propositalmente, também tem impacto em nossa vida emocional. Os resultados são mais pronunciados quando adicionamos *intenção* e *objetivos* aos nossos movimentos, como fazemos quando nos exercitamos regularmente, seja indo à academia ou de alguma outra forma. Humor, nesse sentido, é fazer o mesmo com a leveza: adicionar *intenção* e *objetivos*, aprender a utilizá-lo propositalmente para amenizar as dores da vida, aliviar o estresse, turbinar as relações interpessoais – fazer desse brinquedo uma ferramenta, como vimos na Introdução. Requer um pouco de disciplina e esforço, é preciso se engajar e estar disposto, mas os benefícios são certos.

Quando a atividade física é elevada à categoria de esporte, a coisa toda muda de nível: existem regras, a prática precisa ser intensa, o esforço é muito maior e – gostemos ou não – as derrotas são certas. É a diferença entre humor e comédia: para quem quer fazer graça como os comediantes, é preciso, além de certo talento natural (como em qualquer esporte), aprender, treinar, praticar, errar, insistir.

No entanto, originalmente *comédia* não queria dizer *engraçado*, assim como *tragédia* não significava necessariamente *desgraça*. A tragédia grega traz em si a inevitabilidade; a trama transcorre diante do público, que já sabe de antemão onde aquilo vai dar – e, sim, normalmente as coisas não terminam bem. As comédias seguem a lógica oposta, como explica muito bem o filósofo Terry Eagleton: "Em termos clássicos, comédias são narrativas nas quais as coisas dão divertidamente errado e depois são consertadas. Calamidades são iminentes e depois evitadas de modo triunfal." A forma como isso se dá é usualmente cômica, claro, mas não é essa a essência da comédia. Ela tem a ver com a esperança de que no fim as coisas deem certo. Eagleton conclui: "Nossa demanda infantil e muito razoável de que nossas lágrimas sejam enxugadas é ficcionalmente atendida, como quando os Evangelhos prometem que tudo dará certo na Nova Jerusalém."[29] O riso acabou associado à comédia porque, entre outras coisas, é um grande sinal de que está tudo bem, como veremos no Capítulo 3. As lágrimas da tragédia surgem diante do que é inevitável, enquanto os risos da comédia brotam diante do que é possível.

"Isso não é para mim", você pode pensar. E provavelmente está certo – ser comediante, assim como ser atleta, não é para todo mundo. Mas, do mesmo modo que a prática da atividade física é saudável para todos (o que não se pode falar do esporte profissional), a prática do humor no cotidiano é excelente para o bem-estar emocional (o que também está longe de ser o caso na comédia profissional). E desenvolver o olhar bem-humorado para o mundo não é para poucos privilegiados como os comediantes. Um desses profissionais mais inteligentes da atualidade, o português Ricardo Araújo Pereira, concorda com isso.

> Esta é minha hipótese: humor, ou [senso] de humor, é, na verdade, um modo especial de olhar para as coisas e de pensar sobre elas. É raro, *não porque se trata de um dom oferecido apenas a alguns escolhidos*, mas porque esse modo de olhar e de raciocinar é bastante diferente do convencional (às vezes, é precisamente o oposto), e a *maior parte das pessoas não tem interesse* em relacionar-se com o mundo dessa forma, ou não pode dar-se a esse luxo. Somos treinados para saber

o que as coisas são, não para perder tempo a investigar o que parecem, ou o que poderiam ser.[30] [Grifos meus.]

Como você está lendo este livro e já chegou até aqui, com certeza não é como "a maior parte das pessoas" – desinteressadas no assunto. Então vamos em frente: agora é exercitar essa visão de mundo e obter seus benefícios. E as risadas.

Como rimos

Em 1327, num isolado monastério italiano, mortes misteriosas começaram a assustar os religiosos justamente quando um debate visceral estava para acontecer: monges franciscanos debateriam com representantes do papa para decidir se a pobreza era necessária aos seguidores de Cristo ou, ao contrário, se a Igreja Católica poderia continuar a ser rica. O monge Guilherme de Baskerville, ex-membro da Inquisição, foi enviado pela ordem de São Francisco de Assis para o debate, mas ele foi fisgado pelo mistério e se pôs a investigar essas mortes. Contra todas as suspeitas, ele descobriu que se tratava de assassinatos e que as vítimas haviam sido envenenadas – coincidentemente, após ler um livro misterioso.

Alerta de *spoiler*! Se você ainda não identificou, essa é a história do livro *O nome da rosa*, posteriormente adaptado para o cinema com o galã Sean Connery no papel do monge detetive (não por acaso chamado Baskerville, numa alusão ao mistério mais famoso de Sherlock Holmes, *O cão dos Baskerville*). O romance, que foi publicado em 1980 e marcou a estreia de Umberto Eco na ficção, foi um sucesso estrondoso: entrou na lista de mais vendidos ao lado de gente acostumada a vender muito, como Sidney Sheldon e Stephen King. O lançamento do filme homônimo, seis anos depois, ajudou as vendas a passar dos 50 milhões de exemplares no mundo. Isso é mais do que vendeu *Cinquenta tons de cinza*, por exemplo, ou quase o dobro do que vendeu *Jogos vorazes*, para ficar em exemplos recentes.

Pensando bem, depois de mais de 40 anos de publicação, acredito que o prazo de *spoiler* já esteja vencido, então vou entregar: o motivo dos crimes é (não é à toa que estamos falando dessa obra aqui) o riso.

A teoria da superioridade

Talvez o primeiro filósofo a sistematizar uma teoria sobre comédia tenha sido Aristóteles, mas infelizmente esse texto – supostamente, o segundo volume de sua compilação de aulas intitulada *Poética* – não sobreviveu até os nossos dias. Na história de *O nome da rosa*, entretanto, existe um exemplar do livro guardado no monastério, mas o velho monge responsável pela biblioteca não permite que seja consultado. O riso, segundo ele, é muito perigoso – sua presença abole o medo, e, sem medo, a religião estaria ameaçada.

Ao contrário do bibliotecário ficcional, nós não temos como saber o que dizia aquele livro, mas ainda assim algumas reflexões de Aristóteles sobre o riso são conhecidas a partir de trechos de outras obras suas – o que foi suficiente para dar origem àquela que durante séculos foi uma das principais teorias do humor: a teoria da superioridade. Para o filósofo, a base da comédia é a imitação de defeitos; não qualquer defeito, e sim o que ele chama de *risível* – ou de *ridículo*, dependendo da tradução –, definido como "um defeito e uma deformação nem dolorosa nem destruidora, tal como, por exemplo, a máscara cômica é feia e deformada, mas não exprime dor".[1] A tragédia seria também uma forma de imitação, mas, enquanto sua estratégia dramática é obtida colocando-se em cena personagens melhores do que a média das pessoas, na comédia faz-se o oposto, e a diversão vem ao notarmos essa inferioridade dos personagens – desde que esses defeitos não nos comovam, porque aí perde a graça.

De fato, o bibliotecário de *O nome da rosa* tinha alguma razão para o temor, pois, ao contrário de Platão, seu professor, Aristóteles via mérito no riso – o que faz dele uma má influência do ponto de vista de alguém que gostaria de banir o humor. Do pouco que escreveu sobre o assunto, Platão parecia ter *insights* interessantes, compreendendo desde aquela época a importância da ambivalência e da incongruência, mas não aprovava o riso, por ver nele algo de ameaçador ao funcionamento da vida pública. Talvez estivesse ainda ressentido com a comédia, uma vez que seu professor, Sócrates, fora ridicularizado na comédia *As nuvens*, de Aristófanes – o que, em sua opinião, influenciara no julgamento de seu mestre (condenado à morte pela ingestão de cicuta).

Aristóteles, contudo, aprova um tipo de bom humor: na *Ética a Nicômaco*, ele define a *eutrapelia* como uma virtude. Essa espirituosidade, o gracejo inteligente, ficaria a meio caminho entre a grosseria, a rudez (falta de humor) e a bufonaria, o atrevimento, que seria seu excesso. (Lembremos que virtude, na ética aristotélica, é o meio-termo entre extremos: a coragem, entre a temeridade e a covardia; a generosidade, entre a sovinice a prodigalidade.) Ele destaca que há tipos de humor apropriados para diferentes contextos:

> Algumas piadas são adequadas a um cavalheiro, outras não o são; esteja certo de escolher uma que seja adequada a você. A ironia serve melhor a um cavalheiro que a bufonaria; o irônico faz piadas para se divertir, o bufão, para divertir outras pessoas.[2]

Essa visão do humor como advindo da superioridade foi dominante por séculos e continuou influenciando pensadores por muito tempo. No século XVII, por exemplo, René Descartes ecoava o mestre grego ao ver na zombaria um ódio gerado ao percebermos no outro um defeito que não vemos em nós. Mas foi outro filósofo do período moderno, Thomas Hobbes, quem deu o maior impulso para as ideias aristotélicas ao elaborar a primeira teoria psicológica do riso – que chama de "distorção da face". Suas teses se resumem a dois parágrafos, mas foram o bastante para sedimentar a teoria da superioridade. Sim, nós rimos dos defeitos alheios, segundo ele. Mas não basta reconhecer no outro um problema que não enxergamos em nós – é preciso que tal revelação seja súbita e que nos proporcione essa epifania de superioridade, cujo prazer resulta em riso. É uma "glória repentina", em suas palavras, "resultante da súbita concepção de alguma eminência em nós mesmos, em comparação com as enfermidades dos outros".[3] O riso é a expressão externa dessa paixão: descobrir-se subitamente digno de uma honra – ainda que pela inferioridade alheia. Fica claro que Hobbes não tinha o riso muito em alta conta.

A teoria da incongruência

Quando ouvimos a teoria da superioridade, pensamos logo em comédias pastelão, em palhaços levando tombos nos picadeiros ou em vídeos caseiros mostrando acidentes patéticos. Nesses casos, a teoria faz todo o sentido. No entanto, um século depois de Hobbes, o teólogo e filósofo Francis Hutcheson publicou uma crítica bastante pertinente à teoria da superioridade ou da glória repentina, dizendo que esse sentimento não é nem necessário nem suficiente para nos fazer rir.

Os seus argumentos são interessantes: se o que nos faz rir é o sentimento de superioridade, por que rimos mais quando vemos um animal agindo de forma parecida com um humano do que quando eles simplesmente agem como animais? Teoricamente, ficamos mais acima deles na segunda situação, mas quando nos imitam, eles diminuem um pouco essa distância. Deve haver algum elemento além da percepção de superioridade. Num golpe ainda mais duro, ele diz que, se Hobbes tivesse razão, pessoas saudáveis poderiam se divertir entrando em hospitais, contemplando a superioridade de sua saúde sobre a doença alheia. Como, é claro, isso não acontece, conclui-se que a superioridade não é engraçada por si só. Hutcheson também apresenta exemplos de gracejos, como os trocadilhos, em que a graça estaria na "reunião de imagens que tenham ideias adicionais contrárias". Esse raciocínio serviu de base para a teoria da incongruência, importante até hoje.

Um dos pensadores mais sem graça de todos os tempos, Immanuel Kant foi quem divulgou essa ideia no trecho do livro *Crítica da faculdade de julgar*, de 1790: "Em tudo o que gera um riso convulsivo deve haver algo absurdo (em que o entendimento, portanto, não possa encontrar satisfação). O riso é um afeto surgindo da súbita transformação de uma tensa expectativa em nada."[4] Kant insiste que a expectativa deve se transformar em nada, e não necessariamente no oposto do que se espera, já que criar uma expectativa boa e apresentar um final ruim, por exemplo, pode causar muito mais desgosto do que risada. Ele conclui:

> (…) o entendimento, não conseguindo encontrar o que esperava, de repente relaxa, de forma que sentimos o efeito desse relaxamento no corpo pela vibração dos nossos órgãos, o que ajuda a restabelecer o seu equilíbrio e tem uma influência benéfica na nossa saúde.[5]

Ao atribuir a risada ao prazer obtido por um relaxamento do corpo que traz a sensação de saúde, Kant a insere no âmbito puramente físico: seria apenas uma sacodida da mente e do corpo que diverte e ainda faz bem para a saúde. Arthur Schopenhauer e Søren Kierkegaard, filósofos contemporâneos de Kant (e Blaise Pascal, antes dos três), também acreditavam que a discrepância entre expectativa e realidade estava na origem do riso. Segundo o já citado comediante português Ricardo Araújo Pereira, essa visão o compreende como a celebração de uma frustração: "(…) assim entendido, o riso é a expressão do festejo da derrota do que é pensado pela razão perante o que é captado pelos sentidos".[6]

Vale a pena fazer uma pausa para tentarmos reunir o que descobrimos até aqui (além do fato de que os filósofos adoram discordar uns dos outros) antes de prosseguirmos por mais algumas teorias do humor (só faltam três, aguente firme). Por mais que as teorias pareçam se contradizer – e às vezes de fato o façam –, as obras que passaram no teste do tempo, aquelas das quais falamos até hoje, sobreviveram justamente por conta dos *insights* que apresentaram: que o riso geralmente é acionado por estímulos súbitos, que não raro aponta para situações ridículas envolvendo os outros, que costuma estar associado a ideias incongruentes apresentadas juntas. Tudo isso é verdade. Pode não ser uma descrição exata e completa, mas dá uma boa ideia de como acontece o riso. Além disso, já é possível identificar alguns dos aspectos do riso que podem tornar nossa vida melhor:

- é uma virtude;
- está associado ao prazer;
- vem com alívio de tensão;
- tripudia de frustrações.

Assim, mesmo sem conhecermos as ideias mais recentes, já podemos ver como uma atitude bem-humorada é capaz de aliviar parte da carga negativa da vida ao nosso redor. Quando utilizado com sabedoria – no famoso meio-termo grego –, o riso aumenta o ânimo, nos deixa dispostos, estimula o bem-estar e nos ajuda a lidar com as inevitáveis discrepâncias entre o que esperamos da vida e o que ela nos entrega. Como diz o filósofo chinês Kuang-Ming Wu, numa realidade tantas vezes incoerente como a nossa, o humor pode ser uma boa maneira de olhar para o mundo.

O cômico repousa na justaposição de elementos incongruentes, como um nariz grande e um chapéu pequeno, calças pequenas e sapatos grandes, coisas assim. Uma vez que a vida nos parece uma justaposição do incongruente, uma forma apropriada de se abordar a vida pode bem ser o cômico.[7]

Sigamos, então, em frente.

A teoria do alívio

No século XIX, na esteira da teoria da incongruência, fez sucesso a teoria do alívio, segundo a qual o riso é uma maneira de nos livrarmos de pressões internas. Em Kant já havia a noção de que a risada acontecia quando o entendimento era submetido a uma tensão crescente que desembocava em nada. Herbert Spencer e Sigmund Freud aprofundaram essa ideia.

Spencer (1820-1903) era um filósofo com grande interesse pela biologia, o que talvez explique sua ênfase no corpo – particularmente nos músculos – para explicar o riso. Nosso corpo está sempre se adequando às situações. Se está frio, começamos a tremer; se estamos com raiva, o coração acelera; se há perigo à vista, a musculatura se tensiona, e assim por diante. Se ultrapassar determinado nível, a energia que se acumula no músculo devido a essa tensão levará à fuga ou à luta. Para Spencer, quando uma tensão é provocada por um estímulo e posteriormente se mostra inútil – se era um alarme falso, por exemplo –, a energia se dissipa na forma de risada. Emoções alimentadas desnecessariamente seriam, assim, descartadas pelo riso. "O riso é causado por uma sensação agradável que se segue à cessação da tensão mental", resume ele.⁸

A teoria de que a graça é uma descarga de energia acumulada fez muito sentido dentro da psicanálise, a ponto de Freud dedicar um livro inteiro ao tema, *Os chistes e a sua relação com o inconsciente*, de 1905, além de um breve ensaio, chamado *Sobre o humor*, escrito em 1927.

Para compreender como Freud explica a piada e a risada, é preciso relembrar, ainda que de forma muito sumária, uma de suas ideias mais influentes: a divisão da mente em id, ego e superego. O id é aquela parte em que moram os impulsos irracionais, que ignoram as regras. O superego é exatamente o oposto, uma autoridade que está sempre nos lembrando as normas e exigindo que sejam cumpridas. Ambos seriam inconscientes, e entre eles estaria o ego, onde fica a consciência e onde experimentamos o resultado do conflito constante entre essas forças. Contudo, como conflitos normalmente são desagradáveis, o ego tenta se defender dessa experiência. Freud elenca diversos mecanismos de defesa inconscientes do ego, desde a negação, que é uma tentativa (bastante ineficaz) de mascarar a realidade, até a sofisticada sublimação, em que encontramos formas socialmente aceitáveis de satisfazer o id sem criar problemas com o superego. O humor seria mais um desses mecanismos de defesa.

Freud prossegue dissecando a produção humorística, categorizando dezenas de mecanismos para se produzir piadas, e por fim as divide em dois tipos fundamentais: as inocentes e as tendenciosas. As piadas inocentes são aquelas que não têm um alvo claro – não são críticas a ninguém, não carregam agressividade. Já as tendenciosas são aquelas que têm um conteúdo hostil evidente.

A piada inocente conta praticamente apenas com sua estrutura para fazer graça – seu conteúdo é o menos importante –, mas por isso mesmo é menos engraçada. "O agradável efeito dos chistes inocentes é, em regra, um efeito moderado; um nítido sentido de satisfação, um leve sorriso, é tudo o que em geral podem obter de seus ouvintes", escreve Freud.[9] Eu me lembro de ouvir, quando criança, a história da pulga que pergunta para outra: "Vamos a pé ou esperamos pelo cachorro?" É um bom exemplo desse chiste inocente, porque mesmo quando pequeno eu já via muito pouca graça nessa piada.

Já para aquelas que realmente arrancam risos dos ouvintes, o tema é essencial: elas tocam diretamente nos conteúdos reprimidos em nosso inconsciente: "Ou será um chiste hostil (servindo ao propósito de agressividade, sátira ou defesa) ou um chiste obsceno (servindo ao propósito de desnudamento)."[10] As piadas são uma forma de colocarmos para fora uma agressividade que está em nós mas que não podemos admitir; uma forma de travarmos contato com nossos desejos sexuais inconfessáveis. A sutileza, entretanto, permanece essencial: "O método técnico usualmente empregado é a alusão – ou seja, a substituição por algo menor, apenas remotamente conexo, que o ouvinte reconstrói em sua imaginação como uma obscenidade direta e completada. Quanto maior a discrepância entre o que é dado diretamente (…) e o que é necessário ao ouvinte evocar, mais refinado torna-se o chiste, e mais alto, também, pode-se aventurar a subir à sociedade."[11] Essa técnica é amplamente utilizada pelos roteiristas de animações infantis para entreter os pais sem que as crianças percebam o conteúdo sexual da piada – como na cena em que Shrek chega com seu amigo Burro ao castelo do nanico Lorde Farquaad e se espanta com o tamanho exagerado da construção: "Você acha que ele talvez esteja compensando alguma coisa?", pergunta o ogro.

O riso, portanto, viria do alívio da repressão – colocar para fora o que dá tanto trabalho manter escondido seria a força por trás das gargalhadas. Não por acaso, as piadas tendenciosas são mais engraçadas, pois "têm a seu dispor fontes de prazer além daquelas abertas aos chistes inocentes, nos quais todo o prazer está de algum modo vinculado à técnica".[12] Como resume Terry Eagleton, para Freud, no humor "estamos livres para manter uma face moral respeitável enquanto colhemos os deliciosos frutos de sermos abertamente grosseiros, cínicos, egoístas, obtusos, insultantes, moralmente indolentes, emocionalmente anestesiados e ultrajantemente autoindulgentes".[13]

A teoria da excitação e o afastamento das emoções

Nos anos 1960 e 1970 surgiu uma nova teoria que ecoava a tese freudiana, a *arousal theory*, ou teoria da excitação, de Daniel Berlyne.[14] Ele defendia que a graça vinha da manipulação da nossa tensão, que subia progressivamente e redundava em riso quando era por fim aliviada. Essa ideia em parte se confirma em experimentos laboratoriais e na vivência do cotidiano – filmes de terror que dialogam com a comédia, por exemplo, produzem risadas intensas quando surge uma piada logo depois de uma sequência aterrorizante. Apesar do ponto de contato com Freud, Berlyne não via no riso uma forma de liberar a tensão, mas a consequência comportamental de seu alívio.

Os chistes e a sua relação com o inconsciente é, sem dúvida, uma das obras mais profundas sobre o humor que analisamos até agora, já que boa parte dos textos filosóficos citados trata o tema de maneira colateral, dedicando pouco tempo e espaço a ele. Esse não foi o caso de Freud, tampouco do filósofo francês Henri Bergson, contemporâneo do pai da psicanálise que, em 1900 (cinco anos antes de Freud publicar *Os chistes*), lançou um livro chamado *O riso*, compilando três palestras sobre o que torna a comédia engraçada. Há quem diga que ele era partidário da teoria da superioridade, enquanto outros acham que ele defendia a teoria da incongruência, mas fato é que sua proposta avança em terreno até então inexplorado.

Bergson concorda com Aristóteles: achamos engraçado quando vemos algo defeituoso, mas não *muito* defeituoso. Mas ele se aprofunda no tema, mostrando por que isso acontece: "Faltaria então saber quais são os defeitos que podem tornar-se cômicos e em que casos nós os julgamos sérios demais para rirmos deles", reflete Bergson, para então apresentar sua hipótese: "A comicidade (…) dirige-se à inteligência pura; o riso é incompatível com a emoção. Descreva-se um defeito que seja o mais leve possível: se me for apresentado de tal maneira que desperte minha simpatia, ou meu medo, ou minha piedade, pronto, já não consigo rir dele."[15]

Ao destacar a impossibilidade de emoção e risada coexistirem, Bergson explica por que acontece aquilo que Aristóteles havia descrito: rimos dos defeitos, mas não dos graves, porque estes despertam as mais variadas emoções – dó, raiva, medo – e, uma vez emocionados, a graça vai embora. É aí que entra o talento do comediante: "(…) um vício profundo e até mesmo, em geral, odioso", de acordo com o filósofo, pode ser cômico se o comediante, usando seu talento, nos fizer insensíveis a ele: "*Ele não deve comover-me*: essa é a única condição realmente necessária, embora não certamente suficiente."[16] [Grifo do original.]

Pude comprovar essa teoria quando estava assistindo na TV a um espetáculo de *stand-up* da Tig Notaro, comediante americana conhecida por seu humor excêntrico. Minha filha de 7 anos passou pela sala e perguntou do que se tratava. Contei a história de como Tig transformara uma tragédia em comédia ao inserir no show a história de seu câncer de mama e de sua mastectomia bilateral.

– Isso não é engraçado, é triste – disse minha filha.

De fato. Mas, dependendo do *setup* (como os humoristas chamam a preparação da piada) e da forma de apresentar a situação, colocando ênfase em um ou outro aspecto, ou ajustando o ritmo da história, é possível tornar a plateia "insensível". Só isso não garante a risada, mas é uma condição essencial para se chegar a ela. Tig Notaro faz isso de forma magistral, mas o *setup* resumido que apresentei para minha filha não foi suficiente para torná-la insensível e assim achar graça na história.

Aqui, paro um pouco para inserir uma reflexão. Bergson mostra com clareza que não rimos quando nos emocionamos, mas não explora tanto o caminho inverso, a dessensibilização que o riso pode produzir. Ele diz que, quando conseguimos nos afastar de uma cena dramática, ela perde sua força e nos parece cômica – "Que o leitor agora se afaste, assistindo à vida como espectador indiferente: muitos dramas se transformarão em comédia" –, mas não chega a sugerir que, se a emoção espanta a risada, o riso também pode espantar a emoção. Mais para a frente veremos que isso de fato acontece, e tem implicações diversas: desde o poder do riso de reduzir o estresse até o de minimizar a importância de determinados assuntos.

Nós sabemos, por nossa experiência cotidiana, que quando conseguimos rir de algo os afetos envolvidos diminuem. Essa, aliás, é uma estratégia que eu, particularmente, uso desde pequeno. Nas reuniões de família, minha mãe sempre se diverte lembrando que minha irmã se revoltava com as manobras que eu usava para escapar de broncas fazendo meus pais rirem. Hoje em dia, meu papel nessa história inverteu, mas a tática é a mesma: frequentemente tento aliviar a irritação dos meus filhos com alguma palhaçada. Trata-se de uma estratégia um pouco arriscada, porque, embora seja muito eficaz quando dá certo, quando dá errado (o que não é tão raro) a emoção negativa ganha ainda mais intensidade, como se tivesse ficado mais forte para resistir à queda de braço com a risada. Além disso, corre-se o risco de recair na frivolidade – "uma boa palavra para a inserção inadequada do humor em uma situação séria", como bem lembra Peter L. Berger.[17] De toda maneira, é um recurso a mais para termos na manga ao lidarmos com emoções como ansiedade ou mesmo irritação. Viu só como estudar a filosofia do humor nos revela maneiras de usá-lo a nosso favor?

Mas voltemos a Bergson. Ele aprofunda a análise do humor e chega então à conclusão de que as cenas que nos fazem rir são aquelas nas quais a vida perde sua espontaneidade, sua flexibilidade, e se apresenta como repetição mecânica, numa rigidez que rouba sua essência. É o que faz das imitações algo tão engraçado: ao vermos alguém sendo imitado, ou a nós mesmos, os atos deixam de ser naturais e revelam sua face estereotipada. Essa "inflexão da vida na direção da mecânica é a verdadeira causa do riso", dirá ele, ilustrando com diversos exemplos. Um de meus preferidos é aquele que não raro vemos até hoje em repartições, aeroportos e, infelizmente, até mesmo em hospitais: o clássico caso "do funcionário que funciona como simples máquina".[18] São aquelas situações em que as regras parecem mais importantes do que as pessoas, e o funcionário que está ali para cumpri-las ignora qualquer outra instância de dor ou sofrimento, qualquer possibilidade de flexibilização, porque não pode deixar de seguir as regras. Lembro-me da divertida história contada por um juiz que comprou uma bandeja de iogurtes em promoção no mercado e só ao chegar em casa se deu conta de que estavam baratos porque venciam naquele dia. Não ficou revoltado nem foi brigar com a loja. Sentou-se com uma colher e, munido de paciência, consumiu a bandeja inteira antes que desse meia--noite – afinal, era a regra.

Bergson chega à conclusão de que a função do riso é corrigir comportamentos inadequados. *Castigat ridendo mores*, diz o adágio latino. Significa "O riso corrige os costumes", pois nossas atitudes reprováveis são imediatamente denunciadas pelo barulhento alarme da risada, que "nos faz tentar imediatamente parecer o que deveríamos ser",[19] conclui.

A teoria da violação benigna

A essa altura já deu para entender que nenhuma teoria do humor será completa, certo? Isso não significa que toda essa reflexão seja inútil. A filosofia nos ajuda muito a aumentar a compreensão dos fenômenos à medida que se debruça sobre eles, mesmo que não consiga dar conta de tudo. Não foi um dramaturgo, também autor de comédias, que disse haver mais coisas entre céu e terra do que sonha nossa vã filosofia? O mesmo acontece entre a piada e a risada – achar algo engraçado e rir daquilo é um fenômeno mais complexo do que sonharam nossos filósofos. Ainda assim, estudar essa quantidade de textos sobre como rimos – as coisas que disparam em nós o sentido de graça e o comportamento de rir – sempre enriquece minha visão de mundo. E mesmo que esse fenômeno seja complexo e resista a uma teoria unificadora, parece que a cada avanço nos aproximamos de compreendê-lo um pouco melhor, como se tijolos fossem sendo agregados numa construção ou peças de um quebra-cabeça fossem encaixadas aos poucos. Nesta última teoria, reencontraremos vários elementos das suas predecessoras; com certeza não seria a teoria final, mas você verá que ela nos ajudará ainda mais a pensar sobre como rimos.

Tudo começou com uma piada que o pesquisador Thomas Veatch ouviu no final dos anos 1980 e que, segundo ele, o fez rir por uma hora.[20] A piada nem é engraçada – pelo menos para mim –, mas despertou em Veatch o desejo de compreender a razão de ter rido tanto.

Aqui vai: "Por que o macaco caiu da árvore? Porque estava morto."

Não disse que era sem graça? Mas, sendo um professor de linguística, então na Universidade Stanford, ele decidiu desvendar aquele mistério. Veatch começou a elaborar sua teoria no início dos anos 1990 e a publicou finalmente no artigo científico "A Theory of Humor" (Uma teoria do humor), em 1998, na revista acadêmica *Humor: The International Journal of Humor Studies*.[21] Ao longo de suas mais de 50 páginas, a explicação do autor reúne elementos de diversas teorias numa só. Após definir que "existe um certo estado psicológico que tende a produzir risos, que é o fenômeno ou processo natural do 'humor', ou 'percepção do humor'", ele identifica dois fatores essenciais, comuns a todas as piadas, em seu ponto de vista:

- Existe uma violação (V): trata-se da quebra de uma expectativa em relação a como as coisas deveriam ser, a infração de um "princípio moral subjetivo".
- A situação é, apesar disso, vista como normal (N).

Ambas as percepções ocorrem simultaneamente.

Quando a piada diz que o macaco está morto, viola-se uma expectativa, quase como se a pessoa estivesse assassinando o bicho. Ao mesmo tempo, é normal que um macaco caia da árvore se morrer. Dar-se conta das duas coisas ao mesmo tempo é o que nos faz rir. Veatch batizou sua teoria de N+V, ressaltando a soma de violação e normalidade, mas ela não empolgou a comunidade acadêmica.

Até que outro pesquisador, Peter McGraw, descobriu-a numa busca pela internet e levou-a para o Humor Research Lab (Laboratório de Pesquisas em Humor), da Universidade do Colorado em Boulder, onde a teoria foi estudada pelo doutorando Caleb Warren. O jovem cientista notou que algumas situações engraçadas descritas em piadas eram violações, mas não havia forma de serem consideradas normais, o que era um furo na equação N+V. Warren e McGraw propuseram então que a graça era obtida não pela normalização de uma violação, mas por estratégias diversas que de alguma maneira amenizassem seu poder ofensivo. Segundo eles, o "humor somente ocorre quando algo parece errado, perturbador ou ameaçador (i.e., uma violação), mas, ao mesmo tempo, aceitável ou seguro (i.e., benigno)".[22] Nascia assim a teoria da violação benigna, publicada em 2010 e talvez a mais completa e aceita atualmente. Como disse, mesmo que não seja uma teoria definitiva, como boa hipótese científica ela é testável, explica o fenômeno e permite antecipar resultados.

Pense nos problemas que comediantes às vezes enfrentam por tocar em temas sensíveis. As reações negativas vêm de pessoas que se sentiram ofendidas, o que mostra uma falha na tentativa de tornar aquela violação benigna. Isso se consegue, como Aristóteles já havia percebido e Bergson tinha explicado, reduzindo as emoções envolvidas na questão – seja por meio das palavras empregadas, da forma como a situação é apresentada, dos detalhes inseridos ou do tom utilizado. De alguma forma, o comediante tem que nos distanciar da situação, para que a ofensa não seja levada a sério. Por outro lado, se não existe uma ofensa, o trabalho do comediante tem que ser no sentido contrário: aumentar sua agressividade para que de alguma forma ela mexa conosco.

Esse aspecto – antecipado pela teoria – foi posteriormente comprovado quando, dois anos depois de seu artigo seminal,

McGraw e Warren se uniram a dois outros cientistas para avaliar quanto de risada obteriam de voluntários com piadas sobre tragédias ou sobre pequenos acidentes.[23] Chegaram então à conclusão de que poderiam prever se algo seria ou não engraçado a partir da intensidade da violação e de quão distante ela era percebida, como mostra a Figura 2.1.

Figura 2.1

Quando a tragédia é grave, ela só terá graça se não for ameaçadora – ou seja, se sentirmos que está longe de nós no tempo, no espaço, socialmente ou mesmo hipoteticamente. Já os percalços e contratempos inocentes não terão nenhuma graça se estiverem distantes, porque de muito longe não parecerão violações e não dispararão o riso. Como Freud afirmou, se não há alguma agressividade, não tem graça. Num estudo dos anos 1980, psicólogos mostraram que voluntários geralmente avaliavam cartoons mais agressivos como mais divertidos, mas que a graça dependia não da violência do protagonista, e sim da dor que suas vítimas sentiam.[24] E antes de julgar esses voluntários como sádicos, lembre-se das risadas que você deu assistindo a *Chaves*, *Os Trapalhões* ou *Os Três Patetas* (dependendo da sua idade). Na comédia pastelão, a graça vem menos de ver alguém batendo e muito mais de ver os outros apanhando.

Não só na comédia pastelão, a bem da verdade. Deixe-me contar uma história bem geek, um caso real de aplicação da teoria da violação benigna, relatado no documentário *GDLK*, de 2020. Nos anos 1990, a marca japonesa de videogames Nintendo reinava absoluta no mercado, com 98% das vendas. Então a Sega desenvolveu um console mais rápido e moderno e resolveu declarar guerra à sua conterrânea na batalha pelo mercado americano. Para isso, contratou Tom Kalinske, um ex-executivo da indústria de brinquedos cuja missão era aumentar as vendas de 70 mil para 1 milhão de unidades. Seu plano de batalha tinha cinco pontos e chocou os chefes japoneses, um pouco pelos quatro primeiros – baixar o preço, criar uma mascote concorrente para o Mario, investir em jogos de esporte e conquistar os adolescentes –, mas principalmente pelo quinto ponto: tirar sarro da Nintendo.

Kalinske conta no documentário que seu objetivo era tripudiar da concorrente, mas "de uma forma que fosse agradável". Até então, os comerciais focavam no que a Sega fazia e a Nintendo não fazia, mas o executivo achava que eles não eram "agressivos o suficiente". Passou então a explorar a diferença de velocidade entre os consoles de uma forma divertida. Num dos comerciais, por exemplo, o console Genesis, da Sega, estava instalado numa tela plana na traseira de um carro de corrida que disparava na frente, enquanto o Nintendo estava numa TV de tubo antiga, na carroceria de um fumacento caminhão de leite. O plano deu certo e o mercado acabou dividido entre as duas marcas, graças à capacidade de Kalinske de, sabendo disso ou não, encontrar o ponto de equilíbrio exato entre agressividade e afabilidade.

Ao incorporar esse elemento – alguém se dando bem sobre alguém que se dá mal –, a teoria da violação benigna abarca a ideia presente na teoria da superioridade. Como a violação deve coexistir com uma interpretação alternativa que a amenize, ela também inclui a teoria da incongruência. O aspecto da surpresa também está contemplado, uma vez que essa coexistência violação + benignidade deve ser inesperada para que a piada funcione. E é claro que perceber que algo com aparência ameaçadora e agressiva era, na verdade, seguro, só uma brincadeira, transforma tensão em relaxamento, como proposto pela teoria do alívio. É por isso que acho essa teoria tão interessante: ela coloca várias outras numa formulação testável, como se espera de uma hipótese científica, e nos ajuda a entender o humor de modo mais completo. Veja só:

"Meu pai não acreditava em aprendizado teórico. Ele era um homem que só valorizava o aprendizado na prática. Imagine que quando éramos pequenos, ele nos jogava na piscina antes de sabermos nadar… Só para aprender a fazer ressuscitação cardiopulmonar."

Acho que essa é uma das piadas mais bem construídas que

já ouvi. Eu nem gosto tanto do seu autor, o humorista Anthony Jeselnik. Ele é muito agressivo e ácido, macabro até; mas, talvez por ver como ela se encaixa tão bem na teoria da violação benigna, considero-a um exemplo perfeito de seus postulados.

1. É agressiva: fala de um pai que coloca em risco a vida do filho.
2. Quebra as expectativas: imaginamos que seja sobre aprender a nadar, mas é sobre aprender primeiros socorros.
3. Como quem está contando a história é o próprio filho, já adulto, concluímos que ele não morreu. Um grande alívio que a torna benigna.
4. A violação e a benignidade são apresentadas súbita e concomitantemente.

Faça o teste: leia essa piada para alguém perto de você e veja se não obterá algumas risadas.

Mas será que qualquer coisa engraçada se explica por tal teoria? Certamente não. Pegue um vídeo de um gatinho entretido com um tablet, tentando caçar com a patinha os insetos digitais que cruzam a tela. Ou um cachorro pulando atrás da luz de uma ponteira laser na parede. Não há violações e ainda assim rimos dessas coisas. A não ser que aceitemos uma definição muito ampla do que é violação – praticamente qualquer erro, engano ou discrepância. Para a antropóloga Mary Douglas, trata-se de uma troca de modelos mentais: "A piada relaciona elementos discrepantes de tal modo que um modelo aceito é desafiado pelo aparecimento de outro, que de algum modo estava escondido no primeiro", e o prazer vem de conseguirmos conciliar esses modelos.[25]

Um passeio pelo cérebro

Esse panorama das teorias sobre o humor mostra que as questões sobre o funcionamento do mundo e sobre a natureza humana se prestam muito bem a especulações filosóficas. Veremos a seguir que elas também são um campo fértil para a investigação científica.

Talvez você já tenha ouvido esta antiga questão: se uma árvore cai na floresta e não tem ninguém lá para ouvir, será que ela faz barulho? A pergunta abriu espaço para debates filosóficos interessantes sobre a natureza da realidade e a possibilidade de algo existir sem ser percebido, mas também permite uma resposta mais científica, digamos assim. O barulho, afinal, é resultado do deslocamento do ar, que faz vibrar nossos tímpanos, que, por sua vez, transmitem a vibração para as células nervosas da cóclea, as quais a traduzem em impulsos elétricos enviados para o cérebro. Desse ponto de vista, sem uma criatura por perto não existe barulho.

O mesmo pode se aplicar ao riso: se um filósofo encontra a piada perfeita mas não tem ninguém a quem contar, será que ela é engraçada?

De um ponto de vista estritamente científico, algo só se torna verdadeiramente engraçado quando alguém com um cérebro: (1) registra o estímulo, (2) compreende-o em sua incongruência ou violação, (3) reage emocionalmente a tal reconhecimento e, por fim, (4) envia a resposta motora do riso. Não que exista um centro do humor em nosso cérebro – diferentes regiões estão envolvidas nessas etapas encadeadas de maneira precisa –, mas, se não fossem o cérebro, as piadas cairiam na plateia como as árvores na floresta isolada: silenciosamente.

As áreas associadas à linguagem são as primeiras a entrar em ação, examinando os sinais e buscando dar coerência ao estímulo apresentado. No humor verbal, o hemisfério esquerdo analisa as palavras, atribuindo a elas o significado mais comum. Se o mais comum não é suficiente para dar sentido ao conteúdo – o que é a regra nas piadas –, o hemisfério direito busca num campo semântico mais amplo todos os sentidos da palavra, sejam comuns ou raros, e oferece interpretações alternativas. Se digo, por exemplo, que professor de natação sempre se frustra porque ensina, ensina, ensina, e o aluno nada, pode não ter graça, mas pelo menos ilustra a disputa de significados que acontece no cérebro.

O neurologista e escritor V. S. Ramachandran acredita que essa "lateralização de funções" acontece em diversos contextos, não apenas quando se trata de humor: o hemisfério esquerdo concatena os elementos que captamos, organizando-os em uma narrativa consistente; quando surgem novos elementos que contradizem as expectativas, o hemisfério direito é quem promove o que Ramachandran chama de "mudança de paradigma" – como ocorre na interpretação de uma piada.[26]

Uma vez que a piada é compreendida nas regiões corticais do cérebro – aquela camada mais externa, conhecida como massa cinzenta por causa da concentração de neurônios –, apenas se ela for realmente engraçada ocorrerá a ativação de áreas cerebrais mais profundas, associadas à avaliação emocional automática e inconsciente, como a amígdala cerebral, os gânglios da base e o hipotálamo. É ali que será avaliado o potencial ameaçador *versus* a segurança (ou a "benignidade") da violação. Concluída essa etapa a contento (não se tratando de uma ofensa, portanto), as regiões corticais e as profundas enviam sinais de ativação para o que vem sendo considerado o "centro de coordenação do riso", na região do tronco cerebral (entre o cérebro e a medula espinhal), que dispara o movimento do diafragma, orquestrando respiração, expressão facial e vocalização da risada.

É assim que surge em nosso rosto a risada emocional, genuína – lembra-se dela? Aquela que provoca rugas em volta dos olhos e é impossível fingir. Pois as evidências vindas dos estudos do cérebro confirmam que existem dois tipos de risada, e circuitos neuronais diferentes são responsáveis por elas. O primeiro é esse que culmina no riso de Duchenne, a risada genuína. O segundo circuito, responsável pelo riso não Duchenne (o vulgo riso falso), é um circuito voluntário, no qual o córtex motor simplesmente dá as ordens para que realizemos os movimentos associados à risada, envolvendo os músculos da face, a laringe e o diafragma.

O resultado não é apenas diferente em termos visuais, como aprendemos estudando o sorriso da Mona Lisa, mas até mesmo o cérebro de quem *ouve* essas risadas verdadeiras ou fingidas reage de forma distinta. Estudos de imagem cerebral mostram que, ao ouvirmos risos espontâneos, ambos os lados do cérebro têm o córtex auditivo ativado; além disso, entra em ação o córtex sensório-motor, conjunto de regiões que integram a tomada de consciência dos estímulos sensoriais e disparam comandos para movimentos de todo o corpo. Isso explica em parte por que o riso é contagioso: assim que vemos alguém rindo, as mesmas regiões cerebrais envolvidas na risada espelham, no nosso cérebro, a atividade do cérebro da outra pessoa, nos levando a rir também. Por outro lado, ouvir um riso forçado ativa o córtex pré-frontal, mais envolvido na avaliação racional dos estímulos, muito mais para *interpretar* o significado daquele riso do que para *compartilhar* dele.[27]

A separação entre os dois circuitos é tão marcada que eles podem sofrer lesões independentes, levando a resultados que fariam sorrir o neurologista Duchenne. Na paralisia facial emocional, a pessoa não consegue rir quando acha algo engraçado, mas é capaz de dar sorrisos voluntários, intencionais.[28] Já na rara síndrome de Foix-Chavany-Marie, descrita em 1926 pelos médicos franceses que dão nome à condição, os movimentos faciais em geral estão prejudicados, atrapalhando a fala, a mastigação e a capacidade de sorriso voluntário, mas a pessoa consegue dar uma risada espontânea quando há um estímulo emocional.[29]

Partindo da filosofia antiga e chegando à moderna neurociência, conseguimos compreender *como* rimos – quais são os mecanismos que operam por trás das gargalhadas que damos diante de determinadas situações. Descobrir como algo acontece, no entanto, não explica necessariamente as razões para que aconteça. Essa é uma tarefa para o próximo capítulo: investigar por que, afinal, o ser humano é um animal que ri.

PARTE 2

Mente

Por que rimos

Se eu perguntasse em quais lugares a risada seria mais inútil – ou improvável –, sua lista possivelmente incluiria algo como um escritório de contabilidade durante a época de entrega da declaração do imposto de renda; talvez você pensasse num campeonato de golfe amador; ou, quem sabe, consideraria o momento de limpeza de uma fossa séptica algo sem graça. Quaisquer que fossem suas sugestões, certamente você não discordaria que sessões de tortura durante uma guerra civil soam incompatíveis com a comédia. Mas seria prudente rever essa opinião, porque isso poderia salvar sua vida.

Foi o que aconteceu com o jornalista e comediante Ahmed Albasheer quando, em 2005, foi sequestrado por milícias durante a guerra no Iraque. Sem qualquer justificativa, Albasheer foi levado com um grupo de outras pessoas, capturadas aleatoriamente, e passou a ser interrogado e torturado. No documentário *Larry Charles' Dangerous World of Comedy* [O perigoso mundo da comédia de Larry Charles], Albasheer conta que viu vários de seus colegas de prisão sofrerem horrores, serem castrados, enlouquecerem, e diz não ter dúvidas de que o uso do humor salvou sua vida.[1]

Logo que chegou à prisão ele começou a tentar fazer graça nas interações com seus captores. Quando percebeu que eles riam de algumas brincadeiras, viu ali um caminho para sua salvação. Até mesmo quando era levado para sessões de interrogatório e tortura ele brincava com os guerrilheiros: "Façam o que quiserem comigo, mas não enfiem a garrafa na minha bunda", dizia, arrancando risos improváveis. Ele acredita que foi isso que o levou a ser "só um pouco" torturado. Tendo vislumbrado o poder do humor, Albasheer criou – anos depois, após trabalhar como jornalista cobrindo política (e acumulando material, talvez?) – um programa de humor com forte teor político que se tornou um sucesso gigantesco, sendo considerado um dos mais influentes do mundo árabe.

E pensar que quando eu disse, lá na Introdução, que a gente não usa o humor em todo o seu potencial, você achou que eu estava exagerando, não é? Pois aí está: ele é um instrumento de sobrevivência. Literalmente. E não só no caso de Albasheer. O riso é resultado de várias peças que se juntaram, uma após outra, cada uma delas fundamental para nossa sobrevivência como espécie.

As peças do quebra-cabeça do riso

A vida na natureza selvagem é, bem, selvagem, com o perdão da redundância. É cercada de perigos, desde predadores até armadilhas naturais como buracos ou penhascos, que podem aparecer de repente. É claro que os animais que ficam mais atentos têm maiores chances de escapar, sobreviver e deixar descendentes, o que fez com que os distraídos fossem ficando pelo caminho. Quem sobreviveu para contar história (e passar seus genes adiante) foram aqueles que mais rapidamente tinham a atenção capturada por qualquer coisa que fugisse do padrão – movimentos inesperados, barulhos estranhos, mudanças no ambiente. Nossa atenção até hoje funciona assim: colocamos o cérebro em modo de espera quando entramos numa rotina – caminhos conhecidos, diálogos recorrentes, reprises de situações – e seguimos desatentos até que um estímulo novo apareça, despertando nossos sentidos. A novidade é um chamado à atenção, pois, traga ela risco ou oportunidade, é sempre um momento de aprendizado.

Grave esta informação: o cérebro acorda e presta atenção quando algo foge do padrão.

Viu só como funciona? A fonte acima (Sans Forgetica) foi desenvolvida por uma equipe multidisciplinar de designers e cientistas comportamentais do Instituto Real de Tecnologia de Melbourne justamente para tornar o texto menos fluido. Sabe quando a gente pega embalo e começa a pensar em outras coisas enquanto lê, sem prestar muita atenção? Isso ocorre porque em tarefas repetitivas, quando encontramos um padrão, temos essa tendência de desligar a atenção: é como se o desafio estivesse resolvido e ligássemos o piloto automático, deixando o cérebro continuar sozinho. Quando nos deparamos com trechos nessa fonte especial, somos obrigados a parar e prestar atenção para dar sentido ao novo estímulo.

Embora estudos recentes mostrem que essa fonte não

melhora necessariamente a retenção de informações a longo prazo, ela ilustra muito bem como mudanças chamam nossa atenção.[2] O mesmo acontece em nosso dia a dia: lembrar o que você jantou ontem ou anteontem é mais difícil do que lembrar o menu da última festa a que você foi, mesmo que tenha sido meses atrás. O diferente chama a atenção e o que chama a atenção tem mais chances de gerar aprendizado.

Essa é a primeira peça que, como já vimos, levará ao surgimento do riso: a detecção de uma violação nas expectativas e a tentativa de compreendê-la.

Animais vivendo em sociedade desenvolveram sinais para alertar os outros quando as mudanças no ambiente que lhes captavam a atenção eram ameaçadoras – eles chamam, gritam, gesticulam e fazem caretas para que seus companheiros se preparem para lutar ou fugir. A adrenalina do grupo sobe, todos se colocam de prontidão e, ao receberem a confirmação de que um leão está à espreita ou que um desmoronamento se aproxima, o grupo todo parte para a ação.

Mas como enviar sinais de que era alarme falso, de que está tudo bem? Imagine que você é um animal qualquer no meio da floresta – um orangotango, digamos – quando de repente ouve algo estranho e dá um salto antes dos demais na direção da possível ameaça. O grupo se volta para você, esperando um sinal. A tensão cresce, os músculos se retesam e as pupilas dilatam. Um silêncio atravessa o ambiente naquela fração de segundo em que você examina a situação. Até que finalmente seu cérebro consegue encaixar as informações e reinterpretar o que parecia uma ameaça como apenas um galho que caiu. Você sente um alívio imediato e é invadido por uma onda de emoção positiva.

Essa é a segunda peça: a reinterpretação da situação como diferente do imaginado.

Quando isso acontece, é preciso rapidamente informar o grupo que está tudo bem e transmitir o seu alívio com a mesma eficiência com que, antes, transmitiu a tensão. Quanto mais eficiente você for ao enviar essa mensagem, melhor para o grupo, pois mais depressa os membros se livram da carga de estresse.

Livrar-se logo das emoções negativas, baixando a tensão, dispersando a tristeza ou a ansiedade pode ter conferido uma grande vantagem evolutiva ao longo da história. Segundo Barbara Fredrickson, professora de Psicologia da Universidade da Carolina do Norte e uma das principais pesquisadoras da área da psicologia positiva, as emoções negativas estreitam o foco em direção à fonte do problema para enfrentar a ameaça, superar o risco, etc. Embora isso seja importante para a sobrevivência, quando conseguimos relaxar, ampliamos nossa atenção, expandimos o foco e nos tornamos mais abertos para novidades. Enquanto a tristeza nos torna reflexivos, a alegria nos impele às brincadeiras. Ao contrário da raiva, que nos empurra para a briga, a satisfação nos inclina à integração. Numa situação em que ficamos ansiosos, queremos fugir, mas se ficamos interessados, o desejo é de explorar. Por estimular a brincadeira, a exploração e a integração, essas emoções positivas permitem a construção de um repertório maior de habilidades psicológicas, novas ideias e soluções criativas – o que é tão importante para a sobrevivência quanto fugir do perigo.[3]

Dada a realidade imprevisível da vida na natureza, onde riscos surgem o tempo todo e as reações de fuga ou luta são constantes, identificar e compartilhar com o grupo todo, de uma vez, que a situação está tranquila se tornou tão fundamental quanto sinalizar o perigo. É fácil imaginar que os grupos variavam em termos de quão rapidamente conseguiam se livrar da falsa sensação de ameaça, se acalmar e se permitirem brincar; o que a ciência não sabia até pouco tempo atrás era que brincar podia ser tão relevante a ponto de dar aos grupos mais brincalhões uma vantagem sobre os mais estressados.

E essa é a terceira peça: desenvolver um sinal que transmita que está tudo bem para o grupo poder logo voltar a brincar.

Risos e brincadeiras na evolução das espécies

A importância desses momentos de brincadeira vem ficando cada vez mais clara conforme os cientistas estudam o tema, tanto nos homens como nos animais. Todos os animais sociais brincam – de aves a elefantes, de cães a macacos. Existem três tipos principais de brincadeira no reino animal:

- *brincadeiras de locomoção*: corridas, pega-pega, saltos e lutas, que ensinam a fugir de predadores e a perseguir presas.
- *brincadeiras objetais*: em que os animais interagem com elementos do seu ambiente, aprimorando a capacidade de resolução de problemas.
- *brincadeiras sociais*: envolvem as relações entre os animais e são formas de se preparar para o mundo adulto, auxiliando no desenvolvimento das conexões entre

neurônios (importante para a aquisição de novas habilidades) e na definição muscular, com seus inesperados desafios físicos, cognitivos e emocionais. Essas brincadeiras auxiliam na redução da agressividade e promovem cooperação e justiça, além de ajudarem na formação de vínculos sociais.[4]

Entre grandes primatas – como nós e nossos primos gorilas e bonobos – há duas formas de brincadeira adicionais: os jogos, que reúnem as três formas anteriores numa só, e o faz de conta.[5]

Cada espécie tem suas regras para esses momentos, desde como se convida alguém para brincar, passando pelo que é permitido fazer, até a forma de se encerrar a brincadeira. Se um filhote erra a mão – ou melhor, a pata – e machuca o amigo, não só acaba a graça como geralmente um adulto intervém na hora. Como a intenção não é derrotar o parceiro, mas experimentar as diversas situações, testando movimentos, saídas, soluções, os animais enviam sinais de que nada ali é "de verdade". Os cães se curvam esticando as patas dianteiras, os ratos emitem guinchos ultrassônicos e nossos primos peludos deixam na cara que estão se divertindo, fazendo caretas típicas, conhecidas como *playface* (algo como "cara brincalhona"): relaxam a expressão, abrem a boca cobrindo os dentes superiores e mostrando os inferiores e emitem um som característico, uma espécie de arfar ou bufar, um "Puf! Puf!" bem-humorado, como Charles Darwin registrou em alguns de seus desenhos em *A expressão das emoções nos homens e nos animais* (Figura 3.1).

Figura 3.1

Essa *playface* é mediada por diferentes músculos, dependendo da espécie. Isso não é uma conclusão trivial, conforme explica o biólogo evolucionário e escritor Jonathan Silvertown:

> Brincar e sinalizar o estado emocional para companheiros de brincadeira evoluiu numa ampla gama de animais, mas isso foi alcançado por meios diferentes em diferentes espécies. Em outras palavras, o que é universalmente importante é sinalizar a intenção não hostil, em vez de a maneira precisa de fazer isso.[6]

Desse ponto de vista, o riso não é diferente de outras reações, como o choro diante da tristeza ou a boca torta em face de algo nojento: coisas que são importantes para a integridade do indivíduo e de seu grupo desencadeiam respostas fisiológicas, comportamentais e afetivas que nos preparam para lidar com elas e que transmitem informações para os outros. O reconhecimento de uma derrota (ou perda) leva a redução no nível de energia, sentimento de tristeza, postura cabisbaixa e lágrimas, deixando claro para o adversário que a briga acabou para nós. A boca torta e o nariz franzido, acompanhados de um "Ugh", formam a face expressiva do sentimento de nojo e mostra para quem nos cerca que algo é aversivo.

Da mesma forma, diante de uma quebra de padrão identificada como não ameaçadora, sentimos alegria, experimentamos uma descarga de adrenalina e deixamos isso – literalmente – na cara. E, assim como nosso choro de tristeza influencia o comportamento alheio inclinando-o para o cuidado ou a cara de raiva refreia o ímpeto do oponente, o riso de alegria tem a função de comunicar um estado emocional derivado de determinada situação, contagiando positivamente quem está por perto.

As emoções têm, portanto, a função não só de nos preparar mas de transmitir informações, o que influencia o comportamento dos outros. E, no caso do humor positivo, essa influência é maior do que imaginamos.

Entre 1983 e 2003, cientistas britânicos acompanharam de perto a saúde de milhares de pessoas numa cidade inglesa, repetindo exames e questionários de tempos em tempos. Analisando os resultados, eles perceberam que, quando alguém ficava mais feliz, seus amigos tinham 25% a mais de chances de ficarem felizes também – influência que tinha um longo alcance, atingindo até aqueles que moravam a cerca de 1,5 quilômetro.[7] Há quem acredite, em razão dessa influência tão forte, que o riso (assim como o choro) é um "veículo para coordenar as emoções de um grupo social".[8]

Estamos prontos para juntar as peças que levaram ao riso.

Juntando as peças

Não admira que gostemos tanto de dar risada. Essas três peças-chave por trás do riso foram tão importantes para nossa sobrevivência que acabaram se tornando prazerosas. Isso porque as atividades que consideramos prazerosas hoje são aquelas que tiveram importância para nós em termos evolutivos. Indivíduos que não gostavam muito de sexo, por exemplo, praticavam menos relações e deixavam menos descendentes. Já aqueles que nasciam com mais desejo acabavam namorando mais e tendo mais filhos – que tinham mais chances de herdar essa mesma característica. O mesmo vale para comer: maior voracidade, maior chance de sobrevivência, mais filhos também vorazes. Até mesmo para o prazer na conexão humana: pessoas que pouco se importavam em estar perto dos outros membros da tribo certamente morriam mais, então a evolução favoreceu aquelas que tinham mais prazer na companhia alheia e por isso a buscavam mais, o que aumentava suas chances de sobreviver e deixar descendentes que também gostavam de… Bem, você pegou a ideia.

No caso do riso, como já vimos, tudo começa com a violação da expectativa, um evento novo, algo diferente que recruta nossa atenção para ser resolvido. Encontrar sentido e solucionar esses problemas é, por si só, prazeroso. Seguindo a lógica evolucionária, nossos antepassados que eram indiferentes à busca de respostas provavelmente aprenderam menos, sobreviveram menos e deixaram menos herdeiros do que aqueles que gostavam de aprender. Por que você acha que quebra-cabeças, enigmas, caça-palavras, sudokus e todas as outras modalidades de desafio são tão populares? Porque resolvê-los dá uma sensação de bem-estar análoga a uma boa refeição – ou mesmo a um orgasmo (veja bem: análoga, não equivalente em intensidade, calma lá).

Neurocientistas europeus há pouco tempo conseguiram a prova visual dessa resposta: colocaram voluntários para resolver enigmas numa máquina de ressonância nuclear magnética. Os sujeitos tinham que descobrir uma palavra a partir de outras três, desafio conhecido como teste de associação remota: por exemplo, qual a palavra que poderia ter a ver com "solar", "água" e "cigarro"? Vamos lá, estou te dando a chance de ter o prazer de descobrir. O que pode ser "… solar", "… de água" ou "cigarro com…"? Dei pistas demais? Se você descobriu que a resposta é "filtro", experimentou uma descarga de dopamina em regiões cerebrais como o hipocampo e os gânglios da base. Os pesquisadores chamaram esse momento de "o prazer do aha!", que, por sua novidade e carga afetiva, facilita o aprendizado de longo prazo.[9] Na linguagem do dia a dia, poderíamos chamar de alegria de sentir a ficha cair.

"Tudo bem, mas cadê a graça?", você pode estar se perguntando. E faz bem, porque divertido não é o mesmo que hilário, embora não seja assim tão raro que a gente dê risada quando encontra uma solução criativa.

De fato, é aí que entra aquela terceira peça – é ela que nos leva do "aha!" para o "haha!": o reconhecimento de que aquilo que despertou nossa atenção por fugir ao padrão esperado na verdade não era nada preocupante. Essa percepção gera uma onda de alívio e emoções positivas, embora ainda não seja suficiente para nos fazer rir, na maioria das vezes. É um elemento importante, claro, mas pense nos sustos que você já levou na vida – uma ameaça parece surgir das sombras no meio da noite quando você se levanta para ir ao banheiro, mas em seguida se mostra apenas o vulto de uma cortina balançando ao vento. Pode até ser que você sorria de leve, no entanto é improvável que dê uma boa gargalhada.

A não ser que um ingrediente extra entre em cena: a presença de outra pessoa. Assim que o cérebro compreende a situação por um outro ponto de vista e você relaxa, o alívio da tensão é acompanhado por um riso – justamente para que seja visível em seu rosto e audível para outros, que na mesma hora começam a rir junto, compartilhando o alívio. Em um segundo as emoções negativas são anuladas e o grupo volta à rotina, entendendo o riso como sinal de alarme falso.[10] Correndo o risco de ser repetitivo: os indivíduos mais afeitos a rir com os outros se beneficiaram disso, tendo mais filhos com as mesmas propensões.

Essa peça – a presença de outros – é tão relevante que rimos 30 vezes menos quando estamos sozinhos.[11] Não que seja impossível rir sozinho, mas mesmo nessa situação a risada é muito mais intensa quando pensamos em alguém que adoraria compartilhá-la conosco. Estudos que monitoraram o movimento dos músculos faciais das pessoas comprovam isso: quem pensa em uma situação prazerosa pode até esboçar sorrisos, mas eles são mais abertos e francos quando se imagina a mesma situação sendo compartilhada com alguém – a presença de companhia influencia mais do que a própria intensidade da emoção.[12]

Esse foi um dos grandes motivos para o sucesso das risadas de fundo, tão comuns em seriados de comédia na segunda metade do século XX. A televisão estava nascendo, ainda em busca de uma linguagem própria, e as referências eram o teatro, o circo, as casas de espetáculos. O riso solitário em casa era uma experiência muito diferente tanto para o público como para os comediantes – mesmo nos programas de rádio havia plateia durante as gravações, e o público em casa ouvia as risadas ao fundo. Nos programas de TV em que eram necessárias várias tomadas, cortes, edição, o riso do público ao vivo já não funcionava tão bem. A trilha sonora com risadas veio preencher esse espaço. Como disse Sylvester Weaver, ex-presidente da poderosa emissora NBC: "A risada é uma experiência comunitária, não solitária. Ninguém gosta de rir sozinho, e quando você está sentado em sua sala de estar, uma boa trilha sonora de risadas pode lançá-lo no meio da plateia, no melhor assento da casa, para aproveitar a diversão."[13]

De todas as evidências do papel da presença de outras pessoas para que surja o sorriso ou o riso, poucas são mais criativas do que um estudo feito no final da década de 1970: dois pesquisadores infiltraram observadores anônimos em pistas de boliche – um lá atrás dos pinos e com binóculos em mãos, e outro na ponta oposta, no mesmo lado dos jogadores. O objetivo: anotar o que fazia as pessoas sorrirem. Os resultados são surpreendentes: ao longo de 116 lançamentos registrados, os jogadores praticamente não sorriam quando estavam de frente para os pinos, mesmo quando faziam uma boa jogada (houve apenas quatro sorrisos nessas ocasiões). Por outro lado, eles sorriam muito quando se viravam após o lançamento e trocavam olhares com os amigos – em quase um terço das jogadas ruins e em praticamente metade dos lances bons houve sorrisos ao se estabelecer esse contato social.[14]

Ritualização

No entanto, para o riso como o conhecemos tomar sua forma, ele ainda precisou passar por um processo de transformação, conhecido como ritualização. Trata-se de um processo pelo qual determinada ação associada a um comportamento torna-se um sinal do próprio comportamento (exemplo: quando entramos numa luta, erguemos os punhos para preparar um ataque, e, com o tempo, erguer os punhos se tornou por si só um sinal de que estamos prontos para a briga). A ritualização do riso, que nada mais é do que uma ação ocorrida durante o comportamento de brincar, transformou o próprio riso em sinal de que estamos prontos – como um convite – para a brincadeira.

Os primatas já utilizavam a risada assim, como forma de iniciar e manter o espírito amistoso de suas brincadeiras e jogos, impedindo que se transformassem em briga. Os macacos usam e abusam do riso nesses contextos: quando macacos jovens brincam com filhotes mais novos, não é raro que calculem mal o golpe, o que pode machucar. Nessas ocasiões, os maiores riem muito mais quando a mãe do pequeno está vigiando do que quando estão brincando sozinhos. É como se dissessem: "Não me dê bronca, mãe, eu estava só brincando."[15]

Os chimpanzés dão risada mais frequentemente quando brincam de perseguição, de brigar ou quando recebem cócegas – situações em que realmente há necessidade de informar que não se trata de briga ou perseguição reais. O riso primata é, por isso, considerado homólogo ao humano: ocorre durante as brincadeiras, acompanha uma expressão facial característica e estereotipada e ambos têm semelhanças acústicas. E quanto mais próximos de nós o macaco, mais parecido o som: a pesquisadora Marina Davila-Ross analisou digitalmente essas vocalizações e descobriu que o arfar emitido por bonobos e chimpanzés – as espécies de macaco mais parecidas conosco do ponto de vista genético – têm mais similaridade com nossa risada do que com o som dos orangotangos.[16]

Ao nos tornarmos bípedes, contudo, esse arfar brincalhão ganhou outra dimensão. Liberamos os pulmões das restrições que são impostas ao tórax quando há necessidade de apoio nos membros superiores – nessa posição, é preciso manter os pulmões cheios para aguentar o impacto, o que limita a respiração a um ciclo por passo – e assim pudemos coordenar respiração e passos com mais liberdade. Isso permitiu que as pessoas aproveitassem as caminhadas para colocar a fofoca em dia e que o "Puf! Puf" restrito a momentos específicos – a risada dos outros primatas – se transformasse no "haha" quando bem entendêssemos: o nosso riso. Segundo Robert Provine, de acordo com esse raciocínio, é possível concluir que "o riso é literalmente o som ritualizado da respiração trabalhada durante as brincadeiras físicas".[17]

Para completar, durante a ritualização as ações originais são modificadas para que o sinal seja mais claro, o que as simplifica e amplifica: adiciona-se repetição ritmada, aumento da amplitude, certo exagero (pense em alguém bradando os punhos ameaçando outro: o sinal é claramente uma caricatura dos punhos em riste numa luta real). Além disso, o limiar para disparar o sinal também é reduzido, de modo que estímulos menores são suficientes para que o riso ocorra. Pronto: surgiu o sonoro "hahaha!" que até hoje é reconhecido como sinal de não seriedade.

Com seu poder de estabelecer imediatamente essa conexão positiva e tranquilizadora entre os membros do grupo, acredita-se que a risada tenha sido fundamental para manter a coesão dos bandos conforme cresciam em tamanho.

Outro comportamento muito importante na manutenção dos grupos de nossos antepassados primatas, observável até hoje, é a catação, aquele momento em que um gorila fica de costas para o outro, que se põe a catar os piolhos e parasitas dele. Trata-se de uma atividade que gera prazer pela liberação de endorfinas e estimula a reciprocidade – você coça minhas costas, depois eu coço as suas. O tempo dedicado a essa atividade aumenta conforme o grupo aumenta (mais costas para coçar), de modo que, segundo os cálculos do antropólogo Robin Dunbar, a crescente tribo dos primeiros *Homo sapiens* ficou impossibilitada de realizá-la adequadamente. Dunbar acredita que, nesse ponto, o riso tenha sido uma das formas de otimizar o uso do tempo: a endorfina fluía da mesma maneira, os membros do grupo se conectavam e mais indivíduos podiam participar da atividade ao mesmo tempo. Sua teoria ficou conhecida como "catação vocal", embora o riso seja encarado aqui como um suplemento e não um substituto para a catação. Pessoalmente, basta observar casais de namorados espremendo cravos um do outro em público para eu ter certeza de que a catação não acabou.

Conforme o ser humano se sofisticava, os estímulos para a risada se ampliavam. Aos poucos, o riso foi deixando de ser apenas o reflexo das cócegas ou brincadeiras de luta e passando a ser resultado de estímulos mentais – sem saber, o primeiro homem das cavernas a rir do tombo de um amigo que não se machucou deu início ao humor pastelão. O benefício para o grupo é evidente: em vez de todo mundo parar o que está fazendo para socorrer um potencial ferido, o riso imediatamente sossega todos em volta, que ainda ganham como bônus um influxo de alegria. É tentador imaginar outras formas de protocomédia. Talvez as regras implícitas de convívio tenham virado piada – quebrá-las de propósito em violações não graves pode ter se tornado uma prática para arrancar risadas. Jogar comida um no outro, fingir derrubar um objeto, dar ou receber falsas pancadas podem ter sido as primeiras formas de piada, quem sabe?

Esse humor pré-linguístico só era possível porque aprendemos a rir antes de aprendermos a falar. O riso emocional (riso de Duchenne, lembra?) é, em grande parte, independente das áreas corticais mais sofisticadas necessárias para a linguagem. À medida que a humanidade se desenvolvia, contudo, novos usos para o riso passaram a ser possíveis. Assim que fomos capazes de rir "de propósito", dominando a musculatura orofacial independentemente das reações emocionais, o riso não Duchenne apareceu como uma maneira de tentar obter os efeitos do riso de Duchenne. Se dávamos risadas legítimas quando a situação era tranquila e queríamos deixar isso claro para todos, induzindo-os a também se sentirem calmos, então rir mesmo quando estávamos estressados poderia ser uma forma de fingir que estava tudo bem para ver se os outros se acalmavam.

Algo assim aconteceu com minha esposa durante uma sessão do filme *Cidade de Deus*, de 2002, dirigido por Fernando Meirelles (se não viu o filme, veja, mas só depois de acabar de ler este livro – a gente já viu que interromper a leitura não é um bom negócio). Uma das cenas mais fortes mostra um menino de 7 anos desesperado diante da ameaça de levar um tiro. Ele roubou na comunidade, e, por ordem dos traficantes, outra criança vai atirar nele. Na cena, o menino treme, chora, se desespera. A sequência é tão forte que um juiz da Vara da Infância e da Juventude declarou que puniria o filme.[18] Minha esposa me contou que quando viu o filme teve uma crise de riso justamente nessa cena (para minha sorte, nós ainda não namorávamos e eu não testemunhei esse sufoco). O ator chorando e ela rindo, inutilmente tentando se segurar, constrangida por notar a inadequação daquela reação. Foi um riso de nervoso, que costuma ocorrer numa situação tensa. Começamos a sorrir, ou mesmo a rir, numa tentativa – proposital ou não, já que muitas vezes é involuntário, como nesse caso da minha esposa – de dizer para nós e para os outros que podemos nos tranquilizar.

O humor moderno

O desenvolvimento cognitivo trouxe novas habilidades para o ser humano, não apenas a linguagem – que possibilita a criação de representações simbólicas da realidade –, mas também o pleno estabelecimento de uma habilidade humana denominada teoria da mente. Esse é o nome dado à habilidade que temos de elaborar em nossa própria cabeça os estados mentais dos outros. Sim, eu sei que você pensou "Meu marido não tem isso, não", mas não se trata de *adivinhar* os pensamentos (pois é, você tem que *falar* para ele o que está pensando), e sim de saber que os outros têm estados mentais análogos aos nossos e que podemos pensar o mesmo que eles estão pensando. Esses dois novos aplicativos instalados em nosso cérebro – linguagem e teoria da mente – formaram as bases do humor moderno.

Lembro-me de uma piada contada pela apresentadora de TV Hebe Camargo que depende da teoria da mente:

Depois de quase 50 anos de casamento, uma mulher desconfiou que seu esposo a estava traindo e resolveu investigar. Certo dia, despediu-se dele como se estivesse saindo, mas se escondeu no armário do quarto e ficou espiando. De repente, chegou em casa a amante, que, para seu espanto, era sua melhor amiga, a Maria. "Não acredito! Logo a Maria!", lamentou-se a mulher. Quando o homem entrou no quarto e tirou a roupa, ficando apenas de meias furadas e uma cueca meio suja, sua barriga enorme caiu por cima da cintura, mostrando uma enorme hérnia no umbigo. Na mesma hora a mulher baixou a cabeça e lamentou-se ainda mais: "Ai, meu Deus, que vergonha da Maria."

A piada funciona porque conseguimos nos colocar no lugar da protagonista, compartilhando empaticamente a indignação de se descobrir traída; a surpresa vem – e com ela a graça – quando o sentimento da mulher rapidamente muda de raiva da amiga para vergonha dela. Só detectamos essa incongruência súbita (fórmula básica das anedotas) porque somos capazes de mergulhar imaginariamente em seu estado mental.*

Cócegas no cérebro

De acordo com a história evolutiva, as habilidades crescentes dos seres humanos nos permitiram passar das simples expressões de tranquilidade dos mamíferos para as brincadeiras de cócegas dos primatas; destas, passamos para o humor pastelão das cavernas, até enfim chegarmos ao humor propriamente dito.

Em 1956, o jornalista e humorista Leon Eliachar bolou uma definição de humor que, soubesse ele ou não, se aproximou dessa compreensão. A frase, que foi vencedora da Palma de Ouro do X Salão Internacional de Humorismo, na Itália, era a seguinte: "O humor é a arte de fazer cócegas no raciocínio."[19] O próprio Charles Darwin teve um *insight* muito parecido meio século antes, em seu livro *A expressão das emoções nos homens e nos animais*: "Diz-se por vezes que a imaginação recebe cócegas de uma ideia ridícula; e essa chamada cócega da mente é curiosamente análoga com a do corpo."

Acho muito elegante que todas as teorias do humor vistas no Capítulo 2 são contempladas por essa síntese evolutiva do

---

* Para falar a verdade, quando ouvi a piada, o protagonista era um homem traído. Mas eram os anos 1990, a gente assistia à Hebe segunda-feira à noite em TVs de tubo e o machismo era uma questão menos debatida. Achei melhor fazer uma versão mais adequada à nossa época.

riso. A superioridade de Aristóteles só tinha graça se não fosse agressiva, o que é coerente com a ideia da risada como um sinal de que é tudo brincadeira. A teoria da incongruência se encaixa na medida em que o riso surge depois de detectarmos um erro e o reinterpretarmos – erro que pode ser também o comportamento maquinal do ser vivo, como descreveu Bergson. A ideia freudiana de que uma tensão seguida de um alívio estava por trás do riso não escapa dessa proposta, já que no fundo a atenção foi despertada por um alarme falso. E, de todas elas, talvez a moderna teoria das violações benignas seja a mais bem alinhada com a teoria evolutiva – o mecanismo subjacente que ela propõe para o riso é exatamente o mesmo que a teoria evolutiva enxerga em sua origem distante: a percepção de um tipo de erro, uma violação notada e reinterpretada como benigna, inocente, o que foi importante para a sobrevivência dos nossos antepassados.

Se todas essas evidências científicas não convenceram você da importância do riso para a sobrevivência, é hora de voltar à história de Ahmed Albasheer. Ela nos lembra que não foram só nossos antepassados que sobreviveram graças ao bom humor, o que, aliás, agora que entendemos por que rimos, é mais compreensível.

Quando fez com que seus captores rissem de suas piadas, Albasheer de alguma forma criou uma conexão com eles. O humor tem um grande poder para isso. Num estudo com quase uma centena de universitários, os participantes, que não se conheciam, foram divididos em pares e instruídos a realizar tarefas variadas: aprender passos de dança, lançar uma bola de um para outro, descrever seu ator favorito. A diferença foi que um grupo foi informado de que se tratava de uma brincadeira – parte das atividades era feita de olhos vendados ou com um canudinho nos lábios para deixar a voz engraçada – e o outro grupo recebeu instruções de que era preciso se compenetrar para realizar as tarefas da melhor forma, numa atitude séria, sem vendas ou canudos. Embora todos tenham achado as atividades agradáveis, praticamente não houve risos no grupo sério, ao contrário do grupo divertido. Ao fim, as pessoas envolvidas nas atividades marcadas por brincadeiras se sentiram significativamente mais próximas entre si do que as do outro grupo – lembrando que, no início, ninguém se conhecia.[20]

Outra evidência desse efeito de proximidade vem de estudos de negociação. Numa divertida experiência, voluntários tinham que pechinchar o preço de uma pintura com um vendedor secretamente mancomunado com os pesquisadores. Em determinado ponto, o cientista interrompia a conversa dizendo que o tempo havia acabado e o vendedor fazia uma oferta final, mas em metade das ocasiões acrescentava, sorrindo: "E eu ainda te dou meu sapo de estimação." Os compradores que recebiam a proposta do sapo como brinde pagavam até 18% a mais do que os outros. Rigorosos que são, os cientistas se perguntaram se isso não seria efeito apenas de terem achado o vendedor mais simpático nessa situação, mas não encontraram relação entre simpatia e preço pago.[21]

A proximidade que Albasheer obtevе com seus raptores ao fazê-los rir com ele provavelmente reduziu a intensidade das torturas sofridas. Afinal, do ponto de vista sociológico, "não rimos disso ou daquilo, mas para mostrar que nos regozijamos na companhia do outro e não lhe desejamos mal (...) e o outro ri, por sua vez, porque exulta com essa cordialidade e também pretende expressar a mesma mensagem".[22] Mas isso não é tudo. Lembremos que o riso é um sinal de que estamos brincando, de que não há necessidade de sermos agressivos entre nós, e tem o poder de induzir esse estado de espírito nos outros.

De acordo com os resultados de um estudo em que voluntários foram ameaçados com choques elétricos, é crível que o ambiente mais leve atenuasse, ao menos em parte, a ansiedade do próprio Albasheer. Nesse experimento, as pessoas eram informadas de que receberiam um choque dali a 12 minutos. Elas foram divididas em três grupos. Durante a espera, um grupo ouvia um áudio engraçado, com piadas de Robin Williams, Steve Martin e outros comediantes; outro grupo ouvia um áudio neutro e o terceiro aguardava em silêncio. Os questionários aplicados ao longo do tempo mostraram que quem ouvia o áudio engraçado experimentava significativa redução na ansiedade (fossem ou não pessoas bem-humoradas; mas vale notar que as bem-humoradas mantinham a ansiedade constantemente mais baixa de forma geral).[23]

São várias as constatações práticas de que o humor reduz o estresse: ele é um dos segredos das pessoas resilientes – aquelas que sofrem menos consequências do estresse –, sejam elas adultos, crianças, pacientes lidando com problemas de saúde ou mesmo veteranos de guerra.[24] A risada relaxa a musculatura, o que está fortemente associado à redução da tensão; diminui a reatividade cardiovascular, que faz a pressão sanguínea e a frequência cardíaca subirem quando estamos estressados, quebrando um círculo vicioso; e diminui o nível de cortisol, hormônio liberado nessas situações emocionalmente tensas.[25]

Como observa o escritor Steven Johnson, não é inverossímil atribuir parte desse efeito à sensação de pertencimento e conexão que a risada traz. Assim como o isolamento é altamente estressante para o ser humano, a inserção num grupo dá a sensação de segurança, o que também contribui para a redução da ansiedade.[26] Como diz Paul McGhee, cujas técnicas para desenvolvimento do humor são empregadas para manejo do estresse, "o humor ajuda a ter controle de seu estado emocional, mesmo que você esteja impotente para controlar a situação".[27]

O simples fato de sorrir pode ter ajudado Albasheer a não provocar raiva naqueles que tinham poder de vida e morte sobre ele. Quem nunca sorriu amarelo para o chefe ou para o professor na hora da prova, apenas para deixar claro que eles é que mandavam na situação? Puxar os lábios para trás inicialmente é uma reação de defesa, como se estivéssemos nos afastando – é um reflexo de proteção. E isso não começou com a gente: nos primatas, essa expressão se tornou sinal de submissão. "O sinal primata original para deixar claro que você está abaixo da outra pessoa é um sorriso com os cantos da boca puxados para trás", descreve o primatólogo Frans de Waal. Trata-se de "um sinal intensamente social que mistura medo e desejo de aceitação".[28]

Entre nossos parentes mais próximos, os grandes símios, o sorriso passou a ser usado também para acalmar outros membros do bando. Como esses sorrisos surgem em momentos de tensão, entretanto, nem sempre são desejáveis, por dar na cara que estamos nervosos. Em suas observações, De Waal diz já ter visto chimpanzés tentando esconder o sorriso quando estavam prestes a enfrentar um rival, para não mostrar inferioridade.

Esse tipo de riso também acontece conosco, como mostrou

uma dessas pesquisas curiosas que eu adoro citar e que você pode guardar na manga para puxar assunto numa roda de conversa. Psicólogos americanos estudaram centenas daquelas fotos posadas dos lutadores de MMA (*mixed martial arts*, ou artes marciais mistas) antes dos confrontos, medindo a intensidade do sorriso. Eles davam nota 0 se não houvesse qualquer sinal de sorriso, nota 1 se houvesse uma expressão discreta, sem mostrar os dentes, e nota 2 se o sorriso fosse mais aberto, chegando a mostrar os dentes. Relacionando então a intensidade do sorriso com o resultado das lutas, constataram que os derrotados tinham sorrisos duas vezes mais intensos do que os vencedores. Viram ainda que os lutadores mais contundentes, que venceram por nocaute ou por finalização (imobilização total do oponente), riam 50% menos do que os outros. Num segundo estudo, esses pesquisadores mostraram para centenas de pessoas leigas – em psicologia e em esportes de combate – fotos do mesmo lutador com expressão neutra ou com um sorriso inserido por Photoshop, e o resultado comprovou o que era esperado: o sorriso fazia os atletas parecerem mais agradáveis, confiáveis e quase 40% menos agressivos ou hostis.[29] Essa é exatamente a impressão que você quer transmitir se está a caminho de uma sessão de tortura.

Felizmente, a maioria de nós nunca se verá numa situação tão extrema – sequestrados, interrogados e torturados –, mas a experiência de Ahmed Albasheer serve para mostrar que o humor é realmente capaz de transformar o ambiente. Se isso foi possível numa prisão no Iraque, imagine o que pode fazer na sua próxima reunião de feedback ou no jantar de família.

Quando rimos

"Tempo. Tempo. O que é o tempo? Os suíços o fabricam. Os franceses o acumulam. Os italianos o desperdiçam. Os americanos dizem que é dinheiro. Os hindus dizem que não existe. Sabe o que eu digo? Eu digo que o tempo é um vigarista", filosofa um personagem do filme *O diabo riu por último*, de 1953.

Falar sobre quando rimos é falar sobre o tempo, um conceito tão cheio de nuances que, embora sua presença seja óbvia na nossa vida, é complicado defini-lo de forma precisa.

Não pense que é apenas o mundo pop do cinema que tem essa dificuldade. Santo Agostinho, um dos filósofos mais produtivos de todos os tempos, capaz de lançar luz sobre os variados aspectos da experiência humana, confessou em seu livro *Confissões* (com perdão do trocadilho) que não sabia muito o que dizer sobre isso: "O que é, por conseguinte, o tempo? Se ninguém me perguntar, eu sei; se o quiser explicar a quem me fizer a pergunta, já não sei." Está bem, então, não vamos perguntar.

Mas mesmo que não o compreendamos muito bem, podemos perceber como o tempo – em suas diversas nuances – interfere na nossa relação com o humor. *Tempus edax rerum*, diz um antigo provérbio latino – o tempo devora tudo. Nada foge à sua influência transformadora. A risada, por mais poderosa que seja, não seria exceção. Isso não quer dizer que o tempo acabe com a graça (existem piadas que, como os vinhos, melhoram com o passar dos anos), e sim que é preciso levar em conta o transcorrer dos anos, meses, horas e até segundos para compreender o humor.

Em grande escala, podemos medir o tempo do ouvinte. O desenvolvimento do cérebro, a passagem da infância para a adolescência, o envelhecimento – o transcorrer da vida, ano após ano, muda bastante nossa percepção da graça. O que faz uma criança pequena rir não é o mesmo que faz rir um adulto (normalmente). Mesmo ao adolescente, que já tem capacidade cognitiva desenvolvida para compreender um humor mais complexo, pode faltar experiência para compartilhar dos pressupostos de uma piada que faça rir seus pais. São mudanças lentas, graduais, mas tão relevantes que o mesmo conteúdo humorístico pode adquirir significados até opostos dependendo da idade do público.

Numa escala menor está o tempo do assunto – o intervalo que leva para esvaziar o afeto de uma situação a ponto de ela se tornar engraçada –, que costuma ir um pouco mais rápido. A comoção pública em torno de um acidente se dissipa em poucos dias – sabemos que o prazo venceu quando começamos a ver aquela enxurrada de memes nas redes sociais. Casos mais trágicos levam um tempo maior – semanas ou até meses – e, no caso de tragédias de grandes proporções, talvez se passem séculos antes que surjam as primeiras piadas – a destruição de Pompeia, que ocasionou a morte de dezenas de milhares de pessoas de uma só vez, aparece hoje como piada em filmes de época, mas deve ter demorado muito para deixar de ser um gatilho emocional e poder fazer rir. Em situações menos graves, a graça começa em questão de horas, até minutos. Lembro que, durante o jogo entre Brasil e Alemanha na Copa do Mundo de Futebol de 2014, no fatídico 7 a 1 que levamos dentro de casa, nem havia terminado o primeiro tempo e as piadas já pululavam em meu celular. Veja que interessante, contudo: hoje, essas piadas praticamente já não têm graça. Isso porque, com um pouco de tempo, a emoção diminui e a graça aumenta; com muito tempo, a emoção se esvai completamente e a graça acaba – tornando necessária uma violação para que haja riso.

O mais fugaz é o tempo da piada. Os minutos investidos na construção de um cenário mental, a preparação do *setup*, os segundos que antecedem a conclusão pretensamente engraçada e aquela fração de segundo (que por vezes parece uma eternidade) em que se espera a reação da plateia ou de seu interlocutor, tudo isso junto constitui o tão incensado *timing* da comédia – essencial para os profissionais do riso, mas importante também no uso cotidiano do humor. Se você já disse uma gracinha na hora errada, seja numa discussão de relacionamento ou numa reunião de trabalho, sabe como dói errar o *timing*.

Vai ser bom, não foi?

Quem produz ou aprecia uma boa piada sabe que o momento preciso de soltar uma frase é fugidio. Fale um pouco antes ou um pouco depois e a graça escapa por entre os dedos. Esse ajuste fino é o *timing* – uma habilidade que, assim como o juiz numa partida de futebol, não aparece muito quando está correta. Mas basta um erro para todo mundo se lembrar dela (e de sua família toda, no caso do juiz).

De acordo com o livro *The New Bible of Comedy* (A nova bíblia da comédia), da veterana humorista Judy Carter, "o *timing* na comédia não pode ser ensinado num livro. É bobagem até mesmo tentar. *Timing* é algo que você adquire após muito tempo de palco".[1] Quem sou eu para discordar de uma bíblia? Mas se não se pode ensinar o *timing*, podemos ao menos compreendê-lo um pouco melhor.

Encontrar o momento exato de mandar a piada é um dos aspectos em que tempo e risada interagem. Muitas décadas atrás, eu devia ter uns 8 anos e meus pais estavam tentando desesperadamente nos entreter durante uma viagem de carro. Um assunto levava a outro: charadas, curiosidades, e de alguma forma entramos no tema de bichos, presas e predadores.

– E como chama mesmo aquele bicho que gosta de galinha? – perguntei, sério.

– A raposa? – disse meu pai.

– Não. O galo! – respondi, roubando descaradamente a piada que ouvira do Didi Mocó, uma das poucas referências de comédia que eu tinha na época.

Foi a primeira vez que o conceito de *timing* me foi apresentado.

– Olha, filho, você aproveitou o tema da conversa para fazer a piada, muito bem – apontou minha orgulhosa mãe.

Ela jamais poderia, no futuro, reclamar de ter um filho engraçadinho – a culpa era dela, obviamente (e do pai dela – veja lá na Introdução).

Esse *timing*, que ajuda a manter o humor nas conversas informais, é o elemento central na comédia de improviso – o comediante tem esboços de piadas guardados na manga, mantendo-se alerta para encaixá-las no momento preciso. Estar entrosado com os colegas é tão essencial quanto se manter plenamente atento. Se pensarmos bem, são atitudes que deveríamos ter em todas as conversas, engraçadas ou não – manter-se ligado no momento e de fato ouvir as pessoas aumenta muito a qualidade da comunicação e, consequentemente, do relacionamento. E ainda pode render umas piadas.

Já no *stand-up* o desafio é bem outro. Senhores do roteiro, esses humoristas sabem exatamente quando dirão cada coisa. O essencial para eles é acertar o ritmo, a distribuição das pausas e dos elementos do texto e a forma de interagir com os interlocutores.[2] O antes, o durante e o depois nesse exíguo intervalo.

O "antes" é o *setup*, o trabalho de colocar a audiência na mesma página que o comediante, dividindo os mesmos pressupostos. O objetivo é conduzir o raciocínio da plateia numa direção, embora – como num show de mágica – todo mundo saiba que no final das contas seremos surpreendidos com uma conclusão diferente daquela que antecipamos. O tamanho dessa surpresa é em grande parte responsável pela graça, e por isso o *timing* é essencial: é preciso dar tempo suficiente para que o público pense no desfecho óbvio, mas não o bastante para que pense por conta própria em desfechos alternativos.

O "durante" da piada é a apresentação da conclusão, a fala que fecha a história, conhecida também como *punch line*. Como a risada é o sinal de que está tudo bem após termos ficado tensos, esse tempo deve ser cuidadosamente ajustado para permitir que uma tensão cresça, caso contrário não haverá alívio – e, por conseguinte, nem graça.

Não se trata de simplesmente fazer uma pausa. Um estudo com jovens contando piadas mostrou que a duração das pausas antes da conclusão não tinha relação com o nível de apreciação da piada, fosse ensaiada ou improvisada.[3] É mais uma questão de ritmo, de manter o andamento da conversa de forma a orquestrar as emoções. Esse mesmo estudo procurou diferenças na velocidade da fala, no volume do som ou mesmo no tom da voz – e, contrariamente à crença popular, não encontrou diferenças significativas ao longo da piada ou logo antes da conclusão. A pausa gera, sim, um momento de tensão – que aumenta a atenção de quem está ouvindo –, mas isso não tem relação necessária com a graça – ou com a ausência dela.

Mais importante do que a pausa no "durante" é o tempo que vem no "depois": a hora em que a plateia compreende a piada e começa a rir. "Se o comediante pisa nessa reação, ou seja, não dá espaço para a plateia rir, ela não apenas perde o começo da próxima piada, ela se desconecta", ensina a papisa Judy Carter.[4] Quando começamos a rir, compartilhamos a sensação de que está tudo certo, portanto é preciso deixar que aproveitemos esse prazer antes de começar a criar a próxima tensão.

Um estudo sobre a ocorrência de humor em conversas cotidianas feito por pesquisadores gregos mostrou que, diferentemente do que aconteceu com a análise dos comediantes nos estudos mencionados, as pausas e mudanças de prosódia – como velocidade e intensidade – eram, sim, empregadas ao redor das *punch lines* nos comentários engraçados que colocamos nas conversas entre amigos, para deixar claro que se trata de uma piada.[5] Apesar dessa diferença entre a comédia e a conversa cotidiana, a preocupação com o *timing* dos humoristas tem muito a nos ensinar sobre nossa comunicação: estar atento ao outro, ouvir e não só falar, adequar o ritmo da nossa fala a quem está ouvindo e respeitar o tempo de reação do interlocutor não são conselhos úteis apenas para os comediantes. Imagine como seriam melhores nossas conversas se observássemos esses detalhes.

Do começo...

O ser humano nasce tão vulnerável que precisa de cuidados constantes no início da vida. A coisa se complica porque nessa fase, em que a dependência em relação ao outro é total, a comunicação é nula – ou quase. Trazemos instalado e ativo em nós um alarme bastante eficaz para avisar às pessoas em volta que não estamos bem: o choro. Pense num choro de criança, contínuo e insistente; imagine o som penetrando sem parar no seu ouvido. Aflitivo, não? Desculpe fazer você passar por isso, mas era só para mostrar como o choro tem esse poder de nos inquietar – é realmente como um alarme que não sossegamos até desligar. Os bebês fazem isso conosco. Dias, semanas, meses sem trégua, avisando quando estão com dor, fome, frio, calor, sono. Sabemos quando eles não estão satisfeitos. Até o momento em que conseguem nos dizer que gostaram de algo – de repente, eles se tornam capazes não só de nos castigar por nossos erros, mas de nos recompensar por nossos acertos. É quando começam a rir para nós.

A idade precisa em que isso ocorre varia de bebê para bebê, mas é raro começar antes de um mês e meio. Geralmente, cerca de três meses após o nascimento da criança os pais já experimentam um pouco desse alívio. É um momento tão significativo na relação entre o bebê e seus cuidadores e, em última instância, toda a comunidade que alguns povos marcam essa data. A médica Lori Arviso Alvord, primeira mulher da etnia navajo a se tornar cirurgiã, conta em sua biografia:

> Um costume muito especial ocorre depois que um bebê navajo nasce: a celebração da primeira risada do bebê. A alma (também chamada "o vento") entra no corpo logo após o nascimento. Uma risada do bebê é sinal de que a alma se conectou com o corpo.[6]

Trata-se de uma forma bastante poética de traduzir esse momento em que o ser humano de fato começa a se conectar voluntariamente com outros.

O escritor Steven Johnson concorda:

> Esses primeiros intercâmbios de sorrisos estão entre os mais belos ductos da evolução: um cérebro organizado para produzir uma expressão específica interagindo com outro organizado para sentir prazer ao observar tal expressão. São os primeiros fonemas não falados da linguagem do amor.[7]

Embora ainda não se trate de humor, esses sorrisos são o mais Duchenne possível, já que talvez sejam os mais carregados de prazer genuíno que experimentamos. Há quem acredite que a ligação materna é tão obviamente importante para a sobrevivência de uma criança que a vantagem evolutiva original do sorriso pode ter sido gerar essa conexão com a mãe.[8]

Antes de começarmos a entender o que é engraçado propriamente dito, passamos por uma fase em que o riso começa a surgir nas brincadeiras, entre 4 e 6 meses de idade: fazer cócegas, tapar os olhos e brincar de "Cadê? Achou!" produzem aquelas risadas gostosas que os pais gravam e não resistem ao impulso de mostrar para todo mundo. Desde já se nota a importância do aprendizado social na interpretação de um estímulo como engraçado ou não: um estudo mostrou que bebês de 6 meses, diante de um estímulo novo, olhavam com curiosidade e em seguida se voltavam para os pais – se eles estivessem rindo, as crianças riam de volta para eles. Seis meses mais tarde, com 1 ano, as mesmas crianças tiveram comportamento semelhante, mas, ao verem os pais rindo, riram para o estímulo – não apenas para os pais –, compreendendo que era de fato engraçado.[9] Os pais sabem que antes do primeiro ano as crianças já imitam o estilo de humor da casa.

Ao longo do primeiro ano de vida vamos nos aproximando lentamente da apreensão dos elementos que, no futuro, farão parte da construção do humor. Com 1 ano de idade, o cérebro já é capaz de detectar padrões e reconhecer suas quebras – que, quando benignas (como sabe quem não pulou nenhum capítulo deste livro), são capazes de produzir risos. Nessa idade, eventos incongruentes captam a atenção da criança e, se a interpretação for negativa, ela chora de medo, mas se for positiva, ela começa a rir, por se sentir segura num contexto lúdico.[10]

As crianças usam essas violações propositalmente, brincando com as expectativas de pais e cuidadores, mas antes dos 2 anos elas reconhecem e imitam mais do que criam situações de riso. Esse é um padrão não só para o humor – em nosso desenvolvimento cognitivo, a capacidade de compreendermos vem antes da capacidade de nos expressarmos. É como conseguir entender o que está sendo dito numa língua com a qual temos alguma familiaridade, mesmo sem sabermos falar o idioma.

(Ignorar esse descompasso entre compreensão e performance pode levar a situações embaraçosas que são sempre engraçadas. Certa vez, viajando pela Itália com minha esposa, precisei dizer pelo interfone o número do meu quarto, para entrar com o carro no estacionamento do hotel. Eu havia treinado os números num daqueles guias de conversação para viagem, e como sabia reconhecê-los, disse na maior confiança: "Duidgentoquinquidi." "*Ma che*?", ouvi em meio a risadas pelo interfone. Minutos depois, quando já havia estacionado, cheguei ao balcão do hotel apenas para dar de cara com o recepcionista ainda rindo às minhas custas. Quando conseguiu se controlar e parar de rir, ele me disse a pronúncia correta: "Duetchentoquinditchi.")

Entre 2 e 3 anos de idade já compreendemos que as coisas têm significado e função e somos capazes de criar nossas próprias violações benignas para produzir risadas. O mundo do humor abre uma fresta em sua porta, nos deixando vislumbrar suas riquezas e glórias – e até colocar um pé para dentro – conforme deixamos de apenas *imitar* as gracinhas alheias e passamos a *criar* as nossas próprias palhaçadas.

Com 3 anos, já imitamos menos do que criamos.[11] Nessa fase, as crianças já conseguem saber se os erros que detectam nos outros – a incongruência que pode ou não ser engraçada – são intencionais para fazer graça ou não. Logo em seguida, quando começam a entender conceitos um pouco mais complexos, passam a produzir incongruências conceituais como piada: é quando fornecem respostas erradas de propósito, para fazer graça, do tipo "Fulaninha, como faz o cachorro?", "Miau!".

A maioria dos estudiosos afirma que só vamos atravessar definitivamente os umbrais do humor um pouco mais tarde, perto dos 7 anos. As mudanças cognitivas nessa idade, como a capacidade de manipular conceitos mentalmente, a noção de conservação (as coisas não desaparecem, simplesmente), a alfabetização e o aprendizado matemático, tudo isso abre a caixa de ferramentas do humor, permitindo que as incongruências sejam compreendidas de forma mais completa e a criança passe a não apenas entender a linguagem do humor como se expressar nela.

Enquanto ainda não compreendem uma piada, por carecerem dos pressupostos ou por não terem habilidade para resolver as incongruências, as crianças sabem imediatamente que não acharam graça. Quando já têm as condições necessárias, por outro lado, respondem na mesma velocidade que qualquer adolescente ou adulto. E existe um momento intermediário, em que essas capacidades estão presentes, ainda que não plenamente desenvolvidas, no qual a criança sente que tem uma graça ali, mas fica um tempo um pouco maior numa espécie de limbo, sem descartar a possibilidade do riso nem o alcançando ainda, até que seu significado seja apreendido e ela comece a rir – ou não, se estiver acima de sua capacidade.[12]

Quando são apresentadas a charges com humor mais simples, apenas com violações de expectativas, crianças de 5 anos já são capazes de identificar a graça, mas não conseguem identificar o elemento incongruente (violação de expectativa por apresentação simultânea de elementos incompatíveis). Com 7 anos, elas oscilam: por vezes têm sucesso nessa tarefa, em outras tentativas falham. E aos 9 anos não apresentam mais dificuldades significativas.[13] Como diz o professor La Taille, daí para a frente "podemos dizer que a criança já se assemelha ao adolescente e ao adulto, faltando-lhe apenas um repertório lógico e cultural maior para apreciar o que faz os mais velhos rirem".[14] Trata-se, agora, mais de refinamento do que aquisição.

Explicando: de acordo com uma teoria muito influente do desenvolvimento mental, impulsionada pelo psicólogo Jean Piaget, nossas capacidades cognitivas evoluem em estágios progressivos, cada qual trazendo novas habilidades mentais que não são apenas aperfeiçoamentos, mas capacidades inexistentes no estágio anterior, que são então agregadas ao conjunto. McGhee traça um paralelo entre o desenvolvimento cognitivo e o do humor, dividindo-o também em estágios, que refletem exatamente o que vimos até aqui:[15]

- Estágio 1: Ações incongruentes com objetos – a partir dos 2 anos e meio, marcam o surgimento de uma forma de humor, principalmente com utilização errada proposital de objetos.
- Estágio 2: Nomeação incongruente de objetos e eventos – depois dos 3 anos, as crianças começam a brincar com nomes e palavras.
- Estágio 3: Incongruência conceitual – após os 3 anos e meio, as crianças começam a compreender conceitos, classificações, características definidoras, iniciando o desenvolvimento de uma teoria da mente.
- Estágio 4: Múltiplos significados – a partir dos 7 anos, as crianças já têm as habilidades necessárias para identificar e criar incongruências, tanto verbais como lógicas; nessa fase, trocadilhos e sátiras ganham importância.

Mas será que dessa idade até o fim da vida o humor não muda mais? Nem na velhice?

... ao fim

Meu avô Otávio foi um piadista a vida toda, como já comentei. Mas nos seus últimos anos, com o progressivo declínio cognitivo, ele não conseguia mais se lembrar muito bem das piadas. Como em sua recordação afetiva elas eram engraçadas, no entanto, ele já começava a rir no meio da história. Em sua maioria, eram piadas já conhecidas da família, então ríamos todos juntos, em parte nos lembrando do final, em parte rindo das risadas dele.

Não se pode afirmar ao certo que o envelhecimento muda nosso senso de humor. Alguns estudos mostram redução, outros apontam aumento, não havendo evidências conclusivas para nenhum dos dois lados. Deve ser por isso que o estereótipo do velho ranzinza convive lado a lado com a do idoso desbocado e bufão. O mais provável é que adultos mal-humorados não mudem com a idade, mas o contrário também não acontece com frequência, de modo que adultos bem-humorados mantêm essa característica até o fim da vida.

O passar dos anos parece interferir no senso de humor de forma menos quantitativa do que qualitativa – não muda o tanto, mas pode mudar o tipo. O que se mostra mais consistente nos estudos é que, com a idade, tendemos a nos tornar mais conservadores. Mesmo que achemos graça nas coisas, apreciamos menos o humor *nonsense* ou com grande ambiguidade, embora ainda apreciemos a incongruência.[16] A lentidão cognitiva torna mais difícil captar algumas piadas, por termos dificuldade de resolver a incongruência ou mesmo por termos menos destreza para nos colocarmos na mente dos outros. Apesar disso, ao compreender uma piada, os idosos tendem a ter até mais prazer na risada do que os jovens.[17]

O estilo de humor também pode mudar com o tempo: pessoas mais velhas não apreciam tanto o humor afiliativo – é mais difícil encontrá-las trocando piadas para manter um bate-papo amistoso – nem o humor agressivo – não ficam zombando ou ridicularizando os outros. O mesmo estudo que fez essas comparações descobriu também que há diferenças entre jovens e adultos na meia-idade: os mais novos têm mais apreço pelo humor agressivo do que os mais velhos, porém curtem menos o humor de autodesenvolvimento (*self-enhancing*).[18]

De forma geral, com a idade aceitamos menos as violações de normas sociais. Para falar a verdade, conforme o tempo passa nos sentimos cada vez mais perdidos quanto a isso: até o jovem mais bem-comportado pode parecer um baderneiro para um idoso por simplesmente andar na moda.

Há alguns anos, neurologistas britânicos resolveram investigar se mudanças evidentes no senso de humor de idosos poderiam ter relação com perdas cognitivas mais sérias, como em casos de demência. Os pesquisadores pediram então que dezenas de pessoas que conviviam intimamente com pacientes afetados por diversos tipos de demência preenchessem questionários informando as preferências e os comportamentos dos pacientes com relação ao humor. Foi constatado que risos inapropriados, exagerados ou fora de contexto ocorriam em 40% dos pacientes com demência frontotemporal, que, por afetar a região frontal do cérebro, leva frequentemente à redução do autocontrole, alterando os comportamentos sociais.

Mais inesperado foi descobrir que a preferência humorística era diferente em pacientes com Alzheimer e idosos saudáveis na mesma faixa etária. Os primeiros gostavam menos de humor satírico, dando preferência à comédia-pastelão, mudança que os parentes e amigos diziam notar quase uma década antes dos primeiros sintomas claros da doença.[19] Uma das explicações para esse fenômeno é a hipótese da congruência cognitiva: uma história totalmente congruente não é uma piada, o mesmo ocorrendo com uma história que seja completamente incongruente. Encontrar o sentido de maneira muito fácil ou não encontrá-lo de forma alguma impede que achemos graça em qualquer coisa. Para funcionar, a piada deve, então, oferecer um desafio cognitivo – o que se torna um obstáculo quando a pessoa sofre de demência.

Crianças pequenas não entendem muitas piadas porque o desafio ainda é muito grande para elas, mas, conforme suas habilidades mentais amadurecem, passam a rir daquilo que não entendiam, até que os desfechos se tornam muito óbvios e as piadas infantis vão perdendo a graça. Por que você acha que adorava as piadas do seu tio quando era criança e agora elas lhe parecem tolas? Sim, é porque ele faz as mesmas brincadeiras há décadas, eu sei. Mas também porque você amadureceu. No processo de demência, a perda das capacidades cognitivas faz esse processo retroceder e o humor satírico se torna de mais difícil apreensão, no entanto a pessoa ainda é capaz de apreciar o humor pastelão, muito mais simples.

Um arco parecido acontece com os temas preferenciais das piadas – as coisas das quais as crianças pequenas gostam de tirar sarro por vezes se assemelham às preferências dos idosos. Isso não tem a ver com o tempo da piada nem com o tempo do ouvinte, mas com o tempo do assunto.

Com o passar dos anos...

O segundo semestre do ano é conhecido como a temporada de furacões na região do Caribe e da costa leste dos Estados Unidos. Embora a destruição que causam seja catastrófica, com prejuízos de bilhões de dólares, eles não costumam levar a um número de mortes proporcional à devastação – nos Estados Unidos, ondas de calor e inundações matam mais pessoas por ano do que furacões. Um dos motivos é que, ao contrário da maioria das tragédias, os furacões dão aviso prévio. Não com muita antecedência, é verdade, mas o suficiente para que medidas de segurança sejam adotadas pela população. E suficiente também para que experimentos científicos sobre humor consigam medir precisamente como o tempo interfere com a graça de uma piada.

Nosso já conhecido Peter McGraw, um dos principais responsáveis pela popularidade da teoria da violação benigna do humor, reuniu-se com outros cientistas para pôr sua teoria à prova. Recapitulando brevemente: segundo essa teoria, para algo ser engraçado, precisa ser identificado como uma violação, mas não muito ameaçadora. A passagem do tempo é uma das formas mais evidentes de reduzir a intensidade emocional da violação – comédia é tragédia mais tempo, segundo o ditado. McGraw então raciocinou que, diante de uma tragédia anunciada, como um furacão, poderíamos medir a graça das piadas em função do tempo.

Mil voluntários foram convidados para classificar piadas sobre a chegada do furacão Sandy em 2012 como "bem-humoradas", "engraçadas", "ofensivas" ou "indiferentes". Os pesquisadores dividiram as pessoas em 10 grupos com 100 indivíduos cada, apresentando as piadas em diferentes momentos: na véspera da chegada do furacão, no dia em que entrou no país, no dia em que tocou o solo e, posteriormente, em dias, semanas e meses seguintes à sua passagem. Como previa a teoria, as piadas tinham graça na véspera da chegada do furacão, mas depois de iniciado seu caminho de destruição a graça despencou. Cerca de duas semanas depois, ela estava em seu ponto mais baixo, mas a partir daí as piadas voltaram a ser classificadas como divertidas, avaliação que cresceu até o ponto máximo após um mês. Depois disso, a graça voltou a cair progressivamente, e com pouco mais de três meses as piadas já tinham tão pouca graça como no momento da tragédia.[20]

Existe mesmo um momento em que é muito cedo para se brincar com o assunto, ele está fresco na memória, parece muito próximo de nós, está carregado de afeto e emoção, coisas que todas as teorias do humor mostram ser fatais para o riso. Se passar tempo demais, a percepção de violação pode se esvair por completo e a piada pode perder o sentido. O humor mora nesse meio-tempo (ver Figura 2.1, no Capítulo 2, página 71) entre a bobagem próxima e a tragédia distante, embora não seja possível, a partir desse experimento, precisar o tempo exato – evidentemente, depende da intensidade dos afetos mobilizados: quanto mais intensos, mais tempo será necessário para que se seja possível rir daquilo; quanto menos intensos, mais rapidamente se tornará engraçado, porém mais rapidamente também perderá a graça.

Quando já conseguimos rir de algo, é sinal de que as emoções negativas associadas àquele tópico diminuíram. Mas o contrário também acontece: quando conseguimos rir de uma situação, reduzimos o estresse que ela nos causa. Veja como voltamos o tempo todo ao mesmo ponto: a risada é um sinal de que está tudo bem; se conseguirmos rir de determinado problema, talvez ele deixe de ser tão grande.

Esse é um dos motivos pelos quais os temas das piadas mudam com a idade – os problemas que enfrentamos aos 3 anos não são exatamente os mesmos aos 13, aos 30 ou aos 93. Bem, alguns voltam a ser os mesmos. Essas angústias se refletem nas gracinhas que fazemos para os colegas: aos 3 anos, o humor escatológico faz sucesso com as crianças, que estão às voltas com o controle do esfíncter e o início da vida escolar. Rir do assunto ajuda a lidar com o medo de deixar escapar xixi ou cocô na frente dos amigos. Já adolescentes fazem piadas o tempo todo com a questão da sexualidade, uma das principais fontes de ansiedade nessa fase. A temática dos adultos é rica, dada a gama de problemas que enfrentam, mas temas como casamento, finanças e questões relacionadas ao ambiente de trabalho normalmente fazem sucesso nessa fase. Conforme a idade avança, os gracejos com mais audiência são, evidentemente, sobre o envelhecimento, o declínio físico, surdez, esquecimento, etc.

Essa preferência ficou bem evidente na empreitada do psicólogo Richard Wiseman em busca da piada mais engraçada do mundo. No início dos anos 2000, ele foi convidado pela Associação Britânica para o Avanço da Ciência para bolar um estudo científico com apelo midiático como parte de uma iniciativa para a popularização da ciência. Enquanto buscava ideias para o projeto, Wiseman assistiu ao esquete do grupo britânico de humor Monty Python que conta a história de uma piada tão engraçada que literalmente matava as pessoas de rir, a ponto de ser usada como arma de guerra. Inspirado pelo esquete, Wiseman resolveu montar um experimento para descobrir qual era a piada mais engraçada do mundo. Ele criou um site (laughlab.co.uk) no qual as pessoas poderiam dar notas para as piadas cadastradas e enviar outras. O projeto ganhou fama mundial, recebendo um total de 40 mil piadas e 350 mil classificações, de usuários de 70 países.

Sei que você está curioso para saber qual foi a campeã e não conseguirá pensar em mais nada até descobrir, então vou contar de uma vez a piada que obteve a maior nota – coincidentemente, foi enviada por um psiquiatra, o britânico Gurpal Gosall –, para ter sua atenção de volta logo:

Dois caçadores estão caminhando na floresta quando um deles cai no chão de repente, com os olhos revirados. Parece não estar respirando. O outro caçador pega o celular, liga para o serviço de emergência e diz:
– Meu amigo morreu! O que eu faço?
Com voz pausada, o atendente explica:
– Mantenha a calma. A primeira coisa a fazer é ter certeza de que ele está morto.
Silêncio. Logo depois, ouve-se um tiro. A voz do caçador volta à linha:
– Pronto. E agora?

O psiquiatra disse a Wiseman que contava essa piada a seus pacientes com o intuito de levantar um pouco seu ânimo, pois "ela faz as pessoas se sentirem melhor, porque lembra que sempre existe alguém fazendo alguma burrice maior que a delas".[21] Se você não achou assim tão engraçada, tudo bem. As preferências variaram muito de país para país. Talvez essa não seja boa para brasileiros, quem sabe? De qualquer forma, agora podemos voltar ao tema do capítulo, pois Wiseman descobriu que as preferências não variavam apenas por países, mas também por idade. Os jovens não gostavam tanto das piadas sobre envelhecimento, perda de memória ou audição: abaixo dos 30 anos, apenas 20% das pessoas as consideravam engraçadas, contra 50% das pessoas com 60 ou mais. "A mensagem é clara. Nós rimos dos aspectos da vida que nos causam uma sensação mais forte de ansiedade", concluiu Wiseman.[22]

Alívio cômico

Risos e emoções são como água e óleo: um sempre tenta tomar o lugar do outro. Quando o tempo passa e a carga emocional diminui, a risada cresce. Por outro lado, se encontramos uma brecha para rir, a carga emocional diminui – daí o riso ser usado como forma de enfrentar ansiedades e angústias. Numa pesquisa feita apenas com mulheres em idade fértil, ofereceu-se para estudantes universitárias a chance de passar a tarde vendo TV – e ainda ganhar créditos por isso –, bastando que escolhessem entre drama, comédia ou programas de auditório. Os resultados mostraram uma preferência crescente pela comédia à medida que as mulheres se aproximavam do período pré-menstrual, chegando a ser uma vez e meia mais escolhida do que no meio do ciclo. Os cientistas concluíram que essa escolha poderia refletir "um desejo de superar os estados de humor nocivos" associados às fases pré-menstruais (vale dizer que a pesquisadora principal era uma mulher).[23]

Contudo, a redução da ansiedade tem dois lados. Em determinada ocasião, Peter McGraw – de novo ele – foi convidado para elaborar uma campanha sobre prevenção da gravidez na adolescência utilizando uma linguagem bem-humorada. Ele analisou o vídeo mais recente da campanha, no qual o narrador perdia a calma diante da ignorância dos jovens sobre o tema: "O quê?! Um em cada cinco jovens acha que fazer sexo em pé previne a gravidez! Que #$%&*!!! Você está brincando? É a coisa mais estúpida que já ouvi na @#$%* da minha vida!" Não era uma peça sem graça, mas, para McGraw, o problema era que o público-alvo da campanha também era alvo da piada, o que gerava resistência à assimilação da mensagem. Ele e sua equipe criaram então mais dois vídeos, um simplesmente com a narrativa tediosa dos fatos e outro com humor mais sutil, sintonizado com o público, e os apresentaram para homens com idades entre 18 e 29 anos. Os resultados não foram como esperado: os jovens que assistiram ao vídeo institucional tedioso foram os que posteriormente mais buscaram informações sobre os métodos contraceptivos; o uso do humor reduziu a sensação de gravidade do problema, diminuindo a efetividade da iniciativa.[24]

Quem ri por último?

O humor tem essa capacidade de estabelecer uma distância "entre nós e nós mesmos", como diz o comediante Ricardo

Araújo Pereira. Ele nos obriga a ver a situação por outro ângulo, o que "não altera a natureza da ação, mas sim o modo de a perceber, como quando damos um passo atrás diante de um quadro e vemos pormenores que, tendo estado sempre na tela, não tínhamos sido capazes de captar".[25]

É algo muito semelhante ao que é proposto em uma técnica de autorregulação emocional chamada de "reavaliação cognitiva", na qual se busca levar o paciente a interpretar de outra forma uma situação que lhe desperte fortes reações emocionais, atribuindo-lhes diferentes significados, de modo a modificar seu impacto. O terapeuta ajuda o paciente a desenvolver ferramentas para reinterpretar as situações, examinando-as por novos ângulos, buscando pontos de vista alternativos. Compare esse trabalho do olhar terapêutico com o olhar humorístico, cuja ambição é ver o que mais ninguém vê. "Ver o que mais ninguém vê significa descobrir o que está escondido à vista de todos dentro do ponto de vista convencional."[26] Quando pensamos num problema que está distante, conseguimos rir; quando rimos de um problema que está próximo, conseguimos pensar.

Nem mesmo a morte parece resistir ao poder do humor. Esse distanciamento dado pela mudança de perspectiva a que ele nos leva pode ser muito benéfico em circunstâncias estressantes que não podemos controlar mas com as quais podemos lidar melhor gerenciando nossas emoções, de acordo com os autores de uma pesquisa sobre humor e mortalidade: "Se a pessoa não se leva muito a sério e não tem um senso de autoimportância muito inflado, então as derrotas, os embaraços e mesmo as tragédias devem ter consequências emocionais menos duradouras para ela."[27]

Nessa pesquisa, conduzida por Herbert Lefcourt, os voluntários avaliavam charges engraçadas de um cartunista chamado Gary Larson, famoso por sua série *The Far Side*, cujo estilo leva o público a colocar a condição humana em perspectiva, lembrar-se de nossa natureza animal e encarar o absurdo da existência. Em seguida, as pessoas realizavam várias atividades ligadas à mortalidade, como preencher um atestado de óbito, escrever o discurso para o próprio funeral ou fazer o rascunho de seu testamento – nada muito animador. As tarefas pioraram bastante o humor dos voluntários, mas aqueles que tinham alta apreciação e compreensão das charges, isto é, que foram classificados como tendo alta tendência a esse humor de novas perspectivas, praticamente não foram afetados. É por isso que em quase todo velório sempre tem gente contando piada – trata-se de um antídoto forte contra a angústia de nos sabermos mortais. Eu mesmo aprendi uma bem engraçada numa dessas ocasiões:

Três amigos estavam num velório, conversando à beira do caixão de um companheiro falecido.
– Que perda. Esse cara vai fazer falta, era um baita companheiro – disse um deles.
– Com certeza – respondeu outro. – Baita companheiro. Gostaria que ele pudesse ouvir isso.
– Ei, o que vocês gostariam de ouvir quando estivessem no caixão? – perguntou o primeiro.
– Ah, eu gostaria de ouvir que fui o melhor pai de família de todos os tempos – respondeu o segundo. – E vocês?
– Eu adoraria ouvir que fiz diferença na vida de todo mundo que conheci – disse o primeiro.

– Eu não – disse o terceiro. – Eu gostaria de ouvir: "Olha só, ele está se mexendo!"

Podemos chamar esse humor de existencial. Na filosofia, o existencialismo propõe que, ao pensarmos apenas no aqui e agora, na experiência e na vida presentes, nos deparamos com uma angústia ao percebermos que a vida não tem sentido a não ser o que lhe damos. Mas isso não é um problema para o filósofo Terry Eagleton, pois, ao alcançar a noção de nossa insignificância no universo, de que estamos "presos em ciclos sem sentido, isso pode inspirar não cinismo ou condescendência, mas comédia". De fato, se nada tem sentido por si só, se somos apenas grãos de poeira passageiros, se perdemos nossas pretensões, então qualquer violação pode se tornar benigna. Portanto, "esse senso de profundo conforto, de estarmos em casa no universo, é uma experiência das mais profundamente cômicas".[28]

Rir de um mundo cruel, como La Taille descreve o humor existencial, é "uma espécie de compensação: a adversidade permanece, mas, ao fazer humor, a pessoa de certa forma vinga-se, simbólica e inteligentemente, do que ela teve ou tem de aturar". Ele conclui o raciocínio com uma frase do romancista Romain Gary: "O humor é uma afirmação de dignidade, uma declaração de superioridade do homem em relação a tudo o que lhe sucede."

Essa força toda que estou atribuindo ao humor, se for real, deveria fazer diferença na vida das pessoas que sofrem. Aliviar o sofrimento dos doentes, manter a dignidade dos humilhados, levantar o moral dos desanimados. Vejamos se isso realmente acontece olhando um pouco para os lugares onde rimos.

PARTE 3

Sociedade

Onde rimos

Em setembro de 1939, praticamente ao mesmo tempo que a Alemanha invadia a Polônia, dando início à Segunda Guerra Mundial, Charles Chaplin começava a filmar um de seus trabalhos mais importantes, *O grande ditador*. Hitler sempre lhe parecera uma figura caricata, ainda mais pela semelhança que guardava com seu personagem Carlitos; tal similaridade foi a base do argumento do filme, no qual o ditador é confundido com um barbeiro judeu, o que gera as reviravoltas da trama burlesca.

A verdadeira dimensão do Holocausto ainda não era conhecida, e Chaplin diz em sua autobiografia: "Se eu já houvesse tomado conhecimento dos horrores que aconteciam nos campos de concentração alemães, não teria podido realizar *O grande ditador*; não teria podido fazer graça às custas da demência homicida dos nazistas."[1] Felizmente, ele se manteve "firme no propósito de ridicularizar a sua mística baboseira a respeito da pureza racial", porque o humor não seria apenas uma arma para desmoralizar Hitler, mas também uma arma de sobrevivência para os judeus nos campos de concentração. No momento em que o sofrimento castigava mais intensamente – sem distanciamento algum, numa proximidade excruciante –, o humor resistia, recusando-se a entregar os pontos. A presença do riso nessas situações é o maior testemunho de sua força e de quanto precisamos dele.

Necessidade de humor

Um dos testemunhos mais eloquentes – e sem dúvida o mais famoso – sobre o uso do humor nos campos de concentração vem do médico Viktor Emil Frankl, neurologista e psiquiatra feito prisioneiro de 1942 até 1945, período no qual perdeu o pai, a mãe e a esposa, com quem havia se casado nove meses antes de serem levados. Antes da guerra, Frankl atendia sobreviventes de tentativas de suicídio – tema que não é possível estudar sem pensar sobre o sentido da vida. Essa experiência provavelmente foi fundamental para as ideias que ele aprofundou durante seu período nos campos de concentração: de que a vida sempre tem sentido, mesmo nos momentos mais difíceis. Seu livro *Em busca de sentido* conta como ele fez para encontrar propósito, que ajudou também a manter a esperança e assim sobreviver.

Uma das ferramentas essenciais para Frankl foi o humor. Ele conta que estimulava os outros a ter a mesma postura e praticamente treinou um de seus colegas, desafiando-o todos os dias a pensar em algo engraçado que aconteceria depois que fossem liberados.

Se a pessoa que está fora já pode se surpreender com o fato de o campo de concentração permitir algo como a experiência da arte ou da natureza, mais ainda se espantará se eu disser que ali também existia humor. Claro, somente um princípio de humor e, mesmo assim, apenas por segundos ou minutos. Também o humor constitui uma arma da alma na luta por sua autopreservação. Afinal é sabido que dificilmente haverá algo na existência humana tão apto como o humor para criar distância e permitir que a pessoa se coloque acima da situação, mesmo que somente por alguns segundos.[2]

Mesmo tênue, a mera possibilidade de ainda conseguir rir foi fundamental, de acordo com o relato de vários sobreviventes. "Não importava quão pouco ocorresse, não importava quão esporádico era, ou quão espontâneo, era muito importante. Muito importante!", contou a sobrevivente do Holocausto Felicja Karay em entrevista à psicóloga israelense Chaya Ostrower. Em sua tese de doutorado, *Humor as a Defense Mechanism in the Holocaust* (Humor como mecanismo de defesa no Holocausto), Ostrower entrevistou 55 sobreviventes e descobriu que, fosse nos guetos, nos campos de concentração e mesmo nos campos de extermínio, o riso sempre encontrava espaço.

Muitas funções do riso que vimos ao longo dos capítulos anteriores explicam essa importância.

Em primeiro lugar, rir junto dava um senso de proximidade, de unidade, aliviava a sensação de estarem sozinhos. Quem conseguia fazer amigos dentro do campo de concentração tinha mais facilidade para se adaptar, e as piadas ajudavam bastante a formar laços. Yehuda Fignin, sobrevivente entrevistado por Ostrower, confirma que encontrar graça não era para todos, mas era inevitável:

Tudo o que você diz pode ser dito com humor... Durante os momentos ruins, como em qualquer situação, seja durante uma guerra ou em tempo de paz (...) sempre há humor em grupos... Embora não houvesse teatros e não houvesse profissionais de *stand-up*, havia artistas de *stand-up* naturais e isso é tudo de que se precisa. Há sempre um. Em todo grupo, sob todas as circunstâncias, há sempre um.[3]

Em segundo lugar, quando pensamos na estrutura da piada, é preciso que haja uma expectativa criada a partir de pressupostos compartilhados, de forma que, quando tal expectativa for quebrada, todos compreendam a graça. Os prisioneiros recém-chegados nem sempre riam das piadas dos veteranos. Um dos motivos para isso era o fato de que ainda não estavam suficientemente anestesiados para determinadas situações e o sofrimento ainda os impedia de rir – coisa que o tempo logo mudaria. Outro motivo era que os pressupostos necessários para entender e achar graça ainda lhes eram desconhecidos – muitos, aliás, eram transmitidos pela própria piada, que "podia substituir longas explicações e ilustrar a situação melhor do que relatar numerosos detalhes", diz Ostrower.

O humor também ajudava a lidar com a raiva: tripudiar dos soldados alemães era uma maneira de se vingar, de extravasar a agressividade que de outra forma não podia ser expressa. A teoria da superioridade, a glória súbita que a piada nos faz sentir, era um dos poucos recursos disponíveis para aqueles judeus.

O principal, contudo, se pudermos pensar em termos de importância, talvez fosse a possibilidade de reduzir a dor da alma, mesmo que por um breve momento. Se você não estava cochilando no capítulo anterior, vai lembrar que rir de algo esvazia aquilo dos seus afetos. Naquele segundo precioso da gargalhada, nos colocamos fora da situação, contemplando o absurdo, o *nonsense*, a contradição; somos mais observadores do que personagens.

O relato da sobrevivente Lily Rickman traduz esse sentimento:

> Acho que risada e humor significam não aceitar as coisas na forma como as vemos, mas vesti-las de uma forma diferente, transformá-las em outra coisa. Porque era absurdo, o tempo todo. É simplesmente inconcebível que eles pudessem fazer com pessoas o que fizeram conosco... o fato de que eu conseguia ver as condições mais vergonhosas como grotescas – foi isso que me ajudou a sobreviver.[4]

Se essa estratégia traz alívio para nós num velório ou numa briga doméstica, imagine o bálsamo que devia ser para um judeu na Alemanha nazista.

O humor existencial, que colocamos em xeque no final do capítulo anterior, parece resistir ao teste supremo ao provar sua eficácia em lugares tão atrozes como campos de concentração. E não é preciso achar que a desgraça é engraçada para que as funções emocionais e cognitivas associadas ao humor ajudem a atravessar tempos duros. A sobrevivente Helina resumiu melhor do que ninguém o que isso significa:

> As piadas desempenharam um papel importante, não apenas para nos fazer rir e nos divertir, porque nada poderia

ser realmente divertido naquelas circunstâncias e com tudo o que se passava à nossa volta. É muito importante que se mencione isso, porque não existia diversão ali. As piadas nos ajudaram a manter a nossa mente alerta, deram-nos um olhar mais sóbrio sobre as coisas, um desdém diante do constante terror e perigo, e dessa forma diminuíram o terror e o medo. As piadas nos permitem sentir que ainda somos humanos, apesar do enorme e diabólico poder dos conquistadores. Elas nos lembram os valores e a moral de tempos passados.[5]

Uma das conclusões para mim é que o humor de fato é uma necessidade, como a comunicação ou a criação de vínculos. Não podemos prescindir da comunicação ou a conexão com as outras pessoas, da mesma forma como não conseguimos deixar de nos entreter mutuamente com risos. É ao mesmo tempo um impulso incontrolável e um recurso de bem-estar e sobrevivência. Mesmo nas mais terríveis condições, ele aparece – numa forma que muitos chamariam de humor ácido.

Um dos primeiros a tratar do tema foi o próprio Freud, que o chamava de *gallows humor* (algo como "humor da forca"), embora a expressão *humour noir* (humor negro) tenha sido cunhada pelo escritor surrealista André Breton ao discorrer sobre o ensaio *Uma proposta modesta*, de Jonathan Swift. Nesse panfleto satírico, de 1729, Swift denuncia de forma irônica – e bastante ácida – as condições de fome na Irlanda, sugerindo que as próprias crianças deveriam passar a servir de alimento para a população. Breton identifica aí o nascimento do humor ácido. De forma geral, qualquer piada que envolva morte, doença ou desgraça entra nessa classificação, mas existem nuances bastante relevantes. No humor usado para lidar com o sofrimento, a dor não é um gancho para rirmos de alguém, mas é, ela mesma, objeto de zombaria. Como diz La Taille, "nesse tipo de humor negro (a meu ver, o único que mereceria esse nome), seu autor não se mostra cruel para com o mundo e as pessoas, mas sim observa que o mundo é cruel e faz com que dele possamos rir".[6]

Nós torcemos para que a humanidade tenha aprendido a lição e que nunca mais haja algo como o Holocausto, mas mesmo que estejamos livres desse tipo de horror, sempre teremos que lidar com diversos tipos de tragédia – em que o humor também pode fazer diferença. Na verdade, conhecer o humor produzido nessas situações pode ser útil aos profissionais de saúde no atendimento a vítimas de catástrofes.

A enfermeira Sandy Ritz, especialista em saúde pública, estudou em seu doutorado o que chamou de "humor do sobrevivente": "o humor espontâneo ativamente produzido pelos sobreviventes de crises pessoais ou desastres comunitários".[7] Quando lemos o que ela observou nessas pessoas, é impossível não traçar um paralelo com o humor nos campos de concentração. "É quando tudo é tirado de você, e você ainda consegue ver o absurdo da situação e rir disso", diz ela, descrição que se aproxima muito do relato dos sobreviventes do Holocausto. "[Esse humor] permite que você se desligue momentaneamente de qualquer que seja a situação horrorosa em que está e restaure a sensação de ser alguém e sua razão para viver." E da mesma forma como a sobrevivente Helina explicou que esse humor não significa fazer graça da desgraça, Ritz conclui que "o humor do sobrevivente não é apenas contar piada e rir – é uma atitude positiva e uma maneira de lidar e manter a esperança".

Em seus estudos, ela identificou quatro fases de adaptação a essas situações:[8] nos primeiros dias ocorre a fase de heroísmo, marcada por uma sensação de altruísmo e iniciativas de ajuda mútua, quando o humor tem claramente a função de aliviar a tensão. Em seguida vem a lua de mel, que vai até cerca de quatro meses após o evento, em que o otimismo por ter sobrevivido convive com uma grande esperança de recomeço, o que se reflete no tipo de humor que o sobrevivente produz. A realidade se impõe, no entanto, e as dificuldades para seguir em frente – ineficácia das ações governamentais, problemas com seguradoras, morosidade para obter indenizações e enterrar os mortos – levam à fase de desilusão, que pode durar até dois anos; nesse momento, o humor é reduzido e se traduz em raiva e ressentimento, agressivamente direcionado para quem quer que seja visto como causa das dificuldades. Por fim, chega a fase de reconstrução, que pode durar anos e traz um humor mais positivo e por vezes peculiar, como um código que só as pessoas que passaram por aquilo são capazes de entender.

A doutora Sandy Ritz faz treinamentos específicos para enfermeiros e outros profissionais de saúde e assistência social que atuam em desastres, ensinando-lhes a usar o humor como instrumento terapêutico e também para auxílio em diagnósticos.

O tipo de humor utilizado pode ajudar a identificar a fase emocional do sobrevivente e tornar a intervenção mais apropriada. E em um desastre comunitário, se a enfermeira sobrevivente estiver em uma fase e o paciente sobrevivente estiver em outra, seu humor pode não "bater" e a comunicação pode se quebrar.[9]

Embora a maioria das pessoas nunca precise usar a risada para encarar lugares trágicos como campos de concentração ou epicentros de terremotos, a doutora Ritz acredita que o humor de sobrevivente nos ajuda em situações estressantes graves, mesmo que menos extremas, como períodos de doença. Tendo começado a carreira numa clínica de tratamento para dores crônicas no pescoço e na coluna, ela viu em primeira mão a diferença que o humor pode fazer num lugar que dificilmente associamos ao riso: os hospitais.

Riso terapêutico

Quem já teve cólica renal (como eu) sabe que rir pode até ser um remédio, mas não chega aos pés de uma boa dose de analgésico na veia. O mesmo vale para quem teve câncer, amigdalite ou torcicolo – quimioterapia, antibiótico e relaxantes musculares são de longe muito melhores do que o riso. Rir só é o melhor remédio para quem não está doente de verdade.

Mas calma, não precisa desistir do humor por causa disso. Certa vez, numa de minhas participações ao vivo no programa de TV *Bem Estar*, que ia ao ar durante as manhãs, o tema era exatamente o humor. Eu estava com essa ideia de que a risada não cura nada de verdade quando, de repente, me fizeram a pergunta de um telespectador:

– Dr. Daniel, o humor é bom no caso de quais doenças?

Ao vivo, para milhões de pessoas no Brasil inteiro, eu pensei: "Nenhuma. Próxima pergunta." Mas é claro que eu não poderia responder dessa maneira, não só por não ser educado e porque isso mataria o programa, mas também – como eu viria a aprender – porque não é verdade. Hesitei por uma fração de segundo e respondi que toda doença é uma experiência estressante, e o estresse piora a nossa capacidade de reagir às doenças, formando um círculo vicioso. O humor, com sua capacidade de reduzir o estresse, pode então ajudar a melhorar qualquer doença, embora não seja remédio para nenhuma delas. Achei que era um bom improviso para sacar da manga assim, de supetão, porém, mais do que isso, é a resposta certa. Aliás, o próprio Patch Adams, um dos médicos mais famosos do mundo a usar o humor como ferramenta terapêutica, afirma: "Eu nunca disse que rir é o melhor remédio."[10] Mas, de forma parecida com o que respondi na ocasião, ele acredita que o humor é uma forma de lidar com a ansiedade e superar as barreiras que atrapalham nossa conexão com os outros – isso, sim, fundamental para a saúde.

A risada está associada a melhor resposta imunológica, como já foi comprovado em uma série de estudos que medem tanto a concentração de imunoglobulinas – substâncias essenciais para o combate a infecções – como a atividade de glóbulos brancos importantes para a imunidade, chamados de células *natural killer* (aquelas que matam invasores).[11]

Muito se questiona o impacto desses resultados no mundo real, pois geralmente eles são obtidos em situações específicas, com voluntários assistindo a vídeos engraçados e exames sendo colhidos antes e depois. Será que no dia a dia isso faria diferença? Ao menos para doenças infecciosas, sim, como demonstrou uma pesquisa feita com a população inteira de uma região da Noruega. Os cientistas convidaram todos os quase 100 mil adultos daquela localidade para uma avaliação de saúde e incluíram a seguinte pergunta: "Você reconhece facilmente sinais de intenção de fazer graça?", avaliando o aspecto cognitivo do humor dos participantes. Quinze anos depois, os pesquisadores compararam as respostas originais com os registros de morte daquelas pessoas e descobriram que o humor estava associado a um risco de morrer por infecção quatro vezes menor para homens e seis vezes menor para mulheres. (Antes que você pergunte, o efeito nos homens era só para doenças infecciosas; já as mulheres bem-humoradas tinham risco de morte reduzido pela metade considerando todas as causas – um efeito e tanto).[12]

Adiar a morte não é vencê-la, obviamente, e, no final das contas, risonhos e tristonhos vão parar no mesmo lugar. Existem evidências que questionam até mesmo o prolongamento da vida dos bem-humorados: vários estudos de longo prazo mostram que as pessoas mais bem-humoradas tendem a levar as coisas menos a sério, desde cuidados com a saúde até a exposição ao risco, apresentando como consequência maiores riscos de mortalidade do que as emburradas.[13] Mas mesmo sendo a morte o ponto-final para todos, o humor ajuda a minimizar o sofrimento em torno das doenças – inclusive as fatais.

Existem várias pesquisas feitas com pacientes com câncer, tanto adultos como crianças, mostrando que lidar de forma bem-humorada com a própria situação tem um efeito benéfico na qualidade de vida. Assim como vimos no caso das vítimas do Holocausto e das tragédias naturais, não se trata de fazer os pacientes acharem a experiência divertida, mas de ajudá-los a atravessar esse período. Como disse um capelão hospitalar entrevistado sobre o uso do humor nos hospitais:

> A palavra "suporte" vem de duas palavras: segurar por baixo e carregar. O humor em si ou pessoas que o usam como ferramenta terapêutica o utilizam não necessariamente para fazer alguém se sentir melhor, mas para dar suporte – para dar às pessoas a liberdade de serem capazes de ver os recursos que têm para obter as respostas de que precisam.[14]

Esse parece ser um lema quando falamos de rir em lugares de sofrimento: rir, mas respeitar a dor; respeitar a dor, mas rir.

Uma dupla de enfermeiras resolveu vasculhar a literatura científica sobre o tema com o objetivo de descobrir não só se havia pesquisas feitas nessa área, mas também se os resultados eram aplicáveis na prática. É o que se chama de "ciência translacional", cuja finalidade é ligar os laboratórios universitários às casas das pessoas, estabelecendo conexões entre os experimentos científicos e resultados aplicáveis no dia a dia, seja em novos remédios, organização de serviços, intervenções ou políticas públicas. Elas identificaram que "os efeitos benéficos do humor aparecem em numerosos ambientes e cenários, potencialmente provendo ajuda a pacientes que vivem com dor oncológica crônica ou grave, dor pós-operatória aguda, ou ansiedade e depressão", sem deixar de apontar, no entanto, que "o humor como intervenção ainda é relativamente inexplorado e deve ser mais investigado para fornecer evidências mais fortes do efeito de risos no cuidado de pacientes com câncer". Contudo, as evidências até aqui justificam, na opinião delas, a aplicação prática e a continuidade dos estudos, uma vez que seu uso é praticamente livre de efeitos colaterais e os benefícios são potencialmente enormes.[15]

Em termos gerais, existem duas formas de lidar com situações estressantes: focar no problema ou focar nas emoções. Quando uma situação está nos tirando a paz, é útil, sempre que for possível, identificar qual é exatamente o problema, trazer a questão para o primeiro plano em vez de fingir que ela não existe e, a partir daí, buscar soluções, isto é, eliminar a causa. No entanto, pode acontecer de o problema não ter solução, como, por exemplo, encontrar-se num campo de concentração, no olho de um furacão ou no meio de uma quimioterapia. Nesses casos, o melhor a fazer para reduzir o sofrimento é focar nas emoções, reduzindo a carga negativa por meio de técnicas como o distanciamento afetivo ou a promoção de emoções positivas – duas coisas que podemos conseguir com o uso do humor.

Um estudo com mulheres que precisaram de cirurgia para câncer de mama mostrou que aquelas que usaram o humor como técnica de enfrentamento focado nas emoções tiveram menos sofrimento emocional na véspera do procedimento. O efeito permaneceu no curto e médio prazos, sendo verificado também três dias e três meses depois.[16] Outro estudo verificou que crianças em tratamento de câncer que têm melhor senso de humor e o utilizam como forma de lidar com o estresse demonstram maior capacidade de lidar com os vários desgastes emocionais envolvidos no processo, apresentando inclusive menor risco de infecção ao longo do tratamento.[17]

Não são apenas os pacientes que usam o humor – os profissionais da saúde também recorrem a ele para se conectar com as pessoas de quem cuidam, já que estabelecemos ligações quando rimos juntos – e aqui a sensibilidade é importante para encontrar o tom e o *timing*, sob risco de prejudicar o vínculo caso o paciente não esteja na mesma sintonia. Quando bem empregado, contudo, ele promove essa ligação, aumentando a cumplicidade com os pacientes, o que traz diversas vantagens: acalma, transmite segurança e reduz o desconforto e o constrangimento de procedimentos potencialmente embaraçosos.[18]

Os profissionais da saúde também dão risada entre si – como no caso do enfermeiro anestesista que conhecemos na Introdução, aquele que ficou constrangido ao ser flagrado rindo pelo filho de um paciente falecido e explicou, em carta pública, que era uma forma de lavar a alma. O riso compartilhado dentro da equipe ajuda a manter o moral, a união, aquela sensação de que "estamos cansados mas estamos juntos". De acordo com a doutora Sandy Ritz (que cunhou a expressão "humor dos sobreviventes"), ele serve aos trabalhadores da saúde como a qualquer outro profissional em "qualquer situação que pareça opressiva e insuportável, inclusive quando uma organização usa demais as pessoas num tempo muito curto. O humor dos sobreviventes é um recurso pessoal que pode ser aplicado para lidar com o estresse e ajudar a prevenir o *burnout*".[19]

O humor pode ser seu aliado em qualquer trabalho, mesmo que não seja num hospital.

Rindo na labuta

"Quem inventou o trabalho não tinha o que fazer", disse o jornalista e comediante Aparício Torelly, mais conhecido como Barão de Itararé. Depois que ele foi inventado, o jeito é arregaçar as mangas e ir à luta, o que fica mais fácil se conseguirmos dar algumas risadas durante a jornada.

Uma pitada de comédia pode trazer vantagens antes mesmo de a pessoa ser contratada. Em uma pesquisa, estudantes de MBA foram divididos em pares para simular uma contratação para uma vaga de trabalho e a negociação, via e-mail, do pacote de benefícios, incluindo o próprio salário, valor dos bônus, seguros, etc. Cada benefício tinha uma pontuação e o objetivo era ver quem se saía melhor – recrutadores ou recrutados. Os alunos instruídos a iniciarem as mensagens com uma tirinha sobre negociação do Dilbert (personagem que ironiza ferozmente o mundo do trabalho) obtiveram pontuações maiores – ou seja, mais vantagens para si, fossem como recrutadores ou recrutados – e ainda assim seus pares os consideravam mais confiáveis e declaravam ter mais satisfação no processo.[20]

Uma vez na empresa, usar o humor pode parecer arriscado – a seriedade das corporações, das metas, das entregas, a sisudez dos acionistas, das reuniões de diretoria, tudo parece contrário a um ambiente em que o riso seja bem-vindo. Mas isso está longe de ser verdade. Quer dizer, é verdade que o humor é um risco, mas não é verdade que ele não possa ser bem utilizado. Da mesma forma como nos outros lugares improváveis nos quais vimos o humor atuando como uma ferramenta poderosa, também no ambiente de trabalho o segredo está em encontrar o tom.

Em 2017, um trio de pesquisadores de escolas de negócios americanas investigou o impacto do uso do humor na imagem profissional. Quando a piada é engraçada – e considerada apropriada para o ambiente, que fique claro –, o profissional é considerado mais autoconfiante e mais competente, o que no fim das contas aumenta seu status perante o grupo e a probabilidade de ser apontado como líder. Mas se a piada não tem graça ou é vista como inadequada (mesmo que divertida), o sujeito se mostrará no máximo um engraçadinho. Ele continua transmitindo a impressão de autoconfiança (como sempre existe a possibilidade de a piada falhar, é preciso confiar em si mesmo para correr esse risco), mas não de competência (nem conseguiu fazer o povo rir, afinal), perdendo status perante os colegas.[21]

Não só entre colegas o humor é valorizado. Um levantamento realizado entre executivos mostra que 98% dos chefes preferem empregados com senso de humor, 84% deles por acreditarem que tais funcionários trabalham melhor.[22] Na mão oposta, funcionários também preferem chefes bem-humorados, avaliando-os como 23% mais respeitáveis, 25% mais agradáveis de se trabalhar e 17% mais amigáveis – mesmo que não necessariamente engraçados.[23]

Antes de inventarem as reuniões à distância, nas quais podemos desligar as câmeras e fingir que estamos ouvindo, era preciso reunir funcionários na mesma sala para discutir os problemas da empresa, traçar estratégias e entediá-los com números e dados. Como não era possível comentar a vida dos colegas via chat, o uso do humor era praticamente uma estratégia de sobrevivência ao tédio. Mas não só isso: em contextos nos quais os funcionários se sentiam seguros, um estudo com mais de 50 grupos de trabalho demonstrou que o uso do humor estava associado a padrões de comunicação mais positivos, encontro de soluções mais eficaz e melhor desempenho de equipe – e dois anos depois, quando os times foram reavaliados, essa diferença ainda estava presente.[24]

Um clima mais positivo no trabalho é também um antídoto contra o *burnout*. A sensação de esgotamento que os funcionários podem desenvolver em função do estresse mal gerenciado é um problema cada vez mais presente e representa um desafio para o mundo corporativo. É uma condição que apresenta três grandes grupos de sintomas: sensação de exaustão (fadiga, falta de energia), despersonalização (afastamento emocional, indiferença com relação ao trabalho) e baixa realização profissional (sensação de que o trabalho é inútil). Um estudo feito em Hong Kong com 539 professores – profissionais especialmente afetados pelo *burnout* – mostrou que os mais bem-humorados eram os que tinham menores índices de exaustão e despersonalização e se sentiam melhor no tocante à realização profissional.[25] Já uma pesquisa na Bélgica feita com 1.200 empregados, 90% deles do mundo corporativo, também encontrou uma relação entre os tipos positivos de humor – o de autodesenvolvimento e o afiliativo – e menores índices de *burnout*, independentemente das características do emprego (como sobrecarga de trabalho, prazos apertados, presença de conflitos, etc.).[26]

Além de melhorar o ambiente no trabalho, o humor pode também tornar os funcionários mais criativos. "Pensar fora da caixa" se tornou um mantra dentro das organizações, mas poucas pessoas sabem de onde vem essa expressão, muito menos que o humor pode ser útil aqui. Tudo começou na primeira metade do século XX com uma série de experimentos sobre solução de problemas,²⁷ nos quais os voluntários eram desafiados com tarefas que só podiam ser resolvidas utilizando os objetos de forma não convencional. Num deles, o desafio era prender três velas acesas numa porta, na altura dos olhos, usando apenas tachinhas, velas pequenas e fósforos. Metade dos voluntários encontrava esses itens dentro de caixas, enquanto outra metade se deparava com eles espalhados pela mesa, fora das caixas – mas as caixas também estavam ali. Todos os sujeitos que encontraram os itens fora da caixa pensaram numa solução que incluía prender as próprias caixas na porta e utilizá-las como suporte para as velas, mas apenas metade do grupo que os recebeu dentro das caixas teve a mesma ideia.

Se a história terminasse aqui, seria apenas um fato curioso para contar aos amigos e mostrar que você tem cultura, ainda que inútil. Mas a história não acabou e na década de 1980 esse desafio foi novamente apresentado a voluntários, com a diferença de que dessa vez eles eram antes expostos a diferentes estímulos para produzir emoções – viam vídeos engraçados, tristes, neutros, ganhavam um doce ou faziam exercícios físicos. As pessoas que assistiram aos vídeos divertidos (eram aqueles erros de gravação que todo mundo gosta de ver) obtiveram mais sucesso do que todas as outras – um número duas vezes maior do que aquelas que receberam um doce e cinco vezes maior do que aquelas que foram expostas a um filme neutro.²⁸

Um dos gurus da criatividade dos anos 1990, Roger von Oech afirma que "o artista acredita que existe uma relação íntima entre o 'hahaha' do humor e o 'aha!' da descoberta criativa. Quem é capaz de rir diante das coisas tem mais possibilidade de desafiar a norma subjacente às ideias, pois exercita um modo diferente de olhar para elas". Ele conta que um dos seus clientes, um fabricante de satélites, participou de duas reuniões com projetistas. A primeira foi caoticamente divertida e produziu muitas ideias; já a segunda, na semana seguinte, foi bem mais formal e não rendeu os mesmos frutos. O segredo para ele está na subversão do humor, sua essência de olhar as coisas por outro ângulo, procurar explicações alternativas, soluções não explícitas.[29]

O escritor Paul Valéry disse: "Um homem sério tem poucas ideias. Um homem de ideias nunca é sério." Essa afirmação foi confirmada por uma disputa de criatividade entre comediantes de improviso e designers, feita pelo Instituto de Tecnologia de Massachusetts, nos Estados Unidos: tanto no quesito elaboração de produtos como na criatividade de suas criações, os comediantes bateram os designers por 20% e 25%, respectivamente.[30]

Além de estimular novas ideias, o humor também capta nossa atenção, nos faz pensar e recompensa esse esforço com o prazer das risadas. Evidentemente, tudo isso se revela útil no último lugar em que veremos a utilidade do riso: a escola.

Aprendendo com humor

Ensinar não é tarefa fácil. Primeiro, é preciso conquistar a atenção das pessoas; depois, elas têm que acompanhar seu raciocínio; feito isso, é necessário que compreendam o que foi dito; só então elas terão conteúdo para guardar na memória de modo a poder acessar esse conhecimento posteriormente, quando precisarem. É um trabalho muito sério e, como todo trabalho sério, fica melhor com bom humor. Esse processo todo demanda energia e esforço, mas, em troca, oferece uma recompensa nobilíssima: o conhecimento (e uma nota boa na prova como recompensa um pouco mais ordinária). Quando introduzimos o humor no ensino, estamos aumentando essa recompensa, e premiando o esforço de prestar atenção, raciocinar e compreender com uma prazerosa risada, o que reforça o comportamento. E como as emoções têm a capacidade de turbinar a memorização, de quebra as pessoas ainda gravam melhor aquilo que ouviram. Aprender assim se torna um prazer.

A risada é um sinal de que um erro foi detectado, mas que se trata de um equívoco benigno, não ameaçador, como você já deve saber (se é que este livro está lhe ensinando alguma coisa). Isso faz dela um grande chamariz – é como se os cérebros estabelecessem uma conexão direta entre eles, independentemente de nós, dizendo uns para os outros: "Aí, galera, olha para mim! Percebi uma coisa aqui totalmente fora do padrão, prestem atenção! Mas podem relaxar que não tem perigo, não. Passem a mensagem adiante." Os cérebros assim conectados passam por uma descarga de dopamina, neurotransmissor que aumenta a relevância dos estímulos e marca sua importância para nós – o que ajuda a sedimentar as informações assim transmitidas.

Pode parecer estranho que o erro seja capaz de nos divertir, já que normalmente o associamos a falhas e punições, mas se o ambiente é amistoso e acolhedor, se nos sentimos conectados com as pessoas à nossa volta, é exatamente isso o que acontece. Sabe quando você vai pegar uma caixa ou uma mala esperando que esteja pesada, mas ela está leve e por um segundo você não entende bem o que está acontecendo? Isso foi transformado numa experiência que mostra o papel do contexto na interpretação das incongruências. Um psicólogo preparou diversos pesos que variavam de 0,74 a 2,7 quilos para que as pessoas os levantassem de olhos fechados e dissessem o quão difícil era. Após testar todos algumas vezes, os voluntários recebiam um novo peso, muito mais leve que os demais, levando esse susto quando o levantavam. Quando o estudo foi feito numa estação de trem, com passageiros que estavam por ali, nenhum riso foi obtido. Já quando um grupo de estudantes passou pela mesma situação juntos, as risadas foram abundantes.[31] Não basta apontar os erros, portanto: é preciso que eles sejam encarados sem medo.

O comediante H. J. Benjamin não teve medo de errar – ao contrário, fez dos erros o mote de seu álbum de jazz, que gravou sem saber tocar nenhum instrumento. Ele convidou um grupo de profissionais para compor a banda, com bateria, baixo e saxofone, postando-se ao piano, e o resultado não poderia ser mais divertido: ouvimos a harmoniosa integração entre os músicos até que, de repente, entra um piano completamente fora de tom, tocando notas desencontradas. Parece que soltaram uma galinha no meio de um coro gregoriano – o que funciona perfeitamente para o objetivo de um comediante: fazer rir.* Mesmo quem não entende de música – ou de jazz – tem a atenção capturada por essas divertidas quebras do padrão; imagine então o que o humor não pode fazer quando usado como instrumento didático.

---

* O álbum se chama *I Should Have Learned to Play the Piano*, está disponível em plataformas de streaming e já vale a pena só pelo diálogo entre Benjamin e o comediante Aziz Ansari, no papel de um diabo que não quer comprar sua alma.

Nas últimas décadas, a ideia começou a ser posta em prática e vem se mostrando eficaz em diferentes contextos. Assistir a vídeos bem-humorados ajuda a memorizar uma lista de palavras, por exemplo. Ok, isso não é muito útil no nosso dia a dia – a não ser que você esteja sem papel e caneta e precise ir ao mercado comprar diversos itens. Nesse caso, vale a pena pedir a alguém que lhe conte umas piadas antes de passar a lista.

Mas experimentos de vida real mostraram que o humor é, sim, uma ferramenta didática importante. Numa intervenção feita em duas etapas, primeiro com estudantes de Estatística e posteriormente replicada com alunos de Psicologia, os alunos de cada turma foram divididos em dois grupos: metade assistiu às aulas normais e a outra metade assistiu às mesmas aulas, com o mesmo professor, só que temperadas com humor. Os pesquisadores tiveram o cuidado de dosar o número de piadas: de três a quatro apenas, e na maioria das aulas mas não em todas (segundo eles, era preciso manter ao menos um pouco de seriedade para os estudantes lembrarem por que estavam ali, afinal). A medida de eficácia foram as notas das provas finais, que iam de 0 a 100: em ambas as turmas, as médias foram cerca de 10 pontos mais altas no grupo que riu durante as aulas – algo que pode fazer a diferença entre passar de ano ou não.[32] Não sei você, mas se o humor ajuda até a aprender estatística, eu já fico convencido.

A pergunta que fica é: se damos risada em tantos lugares distintos e improváveis, de campos de concentração a escolas, de empresas a hospitais, com quem nós rimos? E mais ainda: de quem? É o que veremos agora.

Quem, de quem e com quem se ri

Ah, os dilemas românticos da juventude... Quem nunca passou por um deles, não é mesmo? Vou abrir meu coração aqui, mas só porque imagino que você já tenha atravessado alguma situação pelo menos semelhante à que vou descrever. Eu estava paquerando uma menina no ensino médio, devia ter então uns 16 anos, 17 no máximo, e me sentia confuso com seus sinais. Estaria ela correspondendo ao meu interesse ou não? Aposto que a situação soa familiar – com os anos, descobri que essa confusão não é exclusividade de adolescentes, nem de meninos. Aliás, se não houvesse tanta confusão nessa área, acho que não teríamos tema para metade dos livros já escritos, uns 70% das letras de música pop não fariam sentido e nem sequer teríamos inventado as comédias românticas.

Meu pai me deu então uma dica que me pareceu valiosa: segundo ele, sabíamos que uma menina estava nos dando bola quando contávamos uma piada e ela era a única que dava risada. "E se todo mundo rir, ela é a que ri mais", completou. Não sei se ele falou isso porque, dentre as armas da sedução, a única que ele me via capaz de manejar era o humor – o que não estava nem um pouco longe da verdade –, mas não é que ele estava certo? De forma geral, esse é um ingrediente realmente importante no jogo da conquista. O problema é que, sendo sempre o palhaço da turma, às vezes eu tinha dificuldade de saber se a menina estava rindo *para* mim ou rindo *de* mim. Pode parecer um mero jogo de palavras, mas *rir de* e *rir para* são experiências bem diferentes – totalmente opostas, poderíamos dizer. Nós nos aproximamos das pessoas *com quem* rimos, ao passo que nos afastamos daquelas *de quem* rimos.

Seria eu capaz de conquistar alguém pelo riso?

No seu trabalho de campo bisbilhotando as risadas alheias, Robert Provine e seus alunos catalogaram milhares de episódios espontâneos durante as interações registradas. Analisando os resultados por gênero, uma grande diferença apareceu: normalmente, quem fala ri 46% a mais do que quem ouve, mas a proporção mudava dependendo do gênero que ocupava cada um desses papéis. Quando homens falavam com mulheres e surgiam risos, 66% deles riam, ante 71% delas. Já quando mulheres falavam e homens ouviam, 88,1% delas riam, contra apenas 38,9% deles. Trata-se de uma diferença importante e que surge cedo: assistindo a desenhos animados, meninas riem mais que meninos e ecoam os risos deles mais do que o inverso.[1] As razões para tanto são, como sempre é o caso em se tratando de comportamento humano, uma mistura inseparável de elementos biológicos e culturais.

Do ponto de vista biológico, o riso pode ser usado como uma demonstração de sujeição e reconhecimento de autoridade. O primatologista Frans de Waal explica que entre os grandes primatas, mais próximos de nós, o sorriso tem significados complexos, sendo usado para tranquilizar os membros do bando ou acabar com brigas. Mas originalmente, como se vê nos macacos Rhesus, por exemplo, o riso é um símbolo claro de hierarquia, que só é expresso de baixo para cima, dos subordinados em direção aos dominantes.[2] Todos os dias, em alguma reunião de trabalho, funcionários que riem das piadas sem graça do chefe nos lembram como esse instinto de hierarquia ligado ao riso é forte.

Ao estudar o uso de humor em hospitais nos anos 1950, a socióloga Rose Coser descobriu algo mais do que o potencial terapêutico do riso, como vimos no capítulo anterior: ela observou *in loco* a profunda relação entre status profissional e frequência do riso nas reuniões de equipe. Durante essas reuniões, os médicos em cargos de chefia zombavam dos médicos residentes, que em nenhuma ocasião retrucavam. Em vez disso, os residentes dirigiam seus gracejos a si mesmos ou a casos em discussão. Psicólogos e assistentes sociais tampouco faziam piadas com médicos, fossem residentes ou não. E quanto mais alto a pessoa estivesse naquela hierarquia hospitalar, mais piadas disparava: os chefes faziam alguma zombaria em média 7,5 vezes; os médicos jovens, 5,5 vezes; e a equipe multiprofissional, apenas 0,7 vez. E os homens eram os responsáveis em 96% das ocorrências.[3]

Aqui entra o aspecto cultural: em termos evolutivos, o riso pode ter sido inicalmente utilizado para sinalizar sujeição, cabendo aos hierarquicamente inferiores rir e aos superiores fazer rir. O fato de isso se traduzir numa diferença de gêneros entre os seres humanos, contudo, vai além do biológico, apontando para uma diferença cultural de papéis atribuídos a homens e mulheres. A ideia, largamente difundida porém comprovadamente equivocada, de que mulheres não são engraçadas deriva dessa construção cultural. Isso não faz nenhum sentido, como bem coloca a comediante fictícia da série *The Marvelous Mrs. Maisel*, que retrata uma mulher pioneira da comédia *stand-up* nos Estados Unidos nos anos 1950 (coincidentemente ou não, mesmo período em que Coser fez sua pesquisa nos hospitais). Num de seus shows, no segundo episódio da segunda temporada da série, Maisel acerta na mosca:

> Os homens em geral pensam que são os únicos que conseguem usar a comédia para preencher os buracos em sua alma. Eles saem por aí dizendo para todo mundo que as mulheres não são engraçadas, apenas os homens são. Mas pensem o seguinte: a comédia se alimenta de opressão, falta de poder, tristeza e frustração; de abandono e humilhação. Pois bem... quem diabos isso descreve melhor do que as mulheres?! Por esse padrão, só as mulheres deveriam ser engraçadas!

Acreditar que as mulheres não sabem contar piada é como acreditar que fêmeas de pássaros não sabem cantar. Por séculos os cientistas tinham por certo que o canto das aves era um comportamento complexo dos machos para atrair fêmeas e que elas só cantavam muito raramente – e mal. Até que, há alguns anos, cientistas mulheres entraram com força na ornitologia e descobriu-se uma enorme riqueza vocal entre as aves fêmeas. Ao aumentar a diversidade de olhares, as cientistas mulheres aumentaram a diversidade dos próprios sons que nos cercam na natureza, enriquecendo nossa experiência.[4]

Exatamente como o crescente número de mulheres na comédia vem fazendo.

Procura-se risada para relacionamento sério

Voltando ao conselho de meu pai, as evidências científicas dão razão a ele. Com seu poder de criar laços e sinalizar proximidade, o humor é valorizado pelas pessoas na busca por relacionamentos – as mulheres um pouco mais do que os homens, mas todo mundo quer se divertir.

No final do século XX, um estudo com mais de 3 mil anúncios de relacionamentos heterossexuais publicados em jornais – sim, jovens, antes da internet e dos aplicativos para esse fim, as pessoas às vezes buscavam sua alma gêmea dessa forma – mostrou que as mulheres mencionavam "risos" e "bom humor" 62% mais do que os homens. Em termos proporcionais, isso significava que elas procuravam um companheiro que as fizesse rir três vezes mais do que eles buscavam isso nas mulheres.[5] "Ah, mas isso era na época dos anúncios de jornal, não é mais assim que funciona", você pode pensar. Pois saiba que em 2011 uma pesquisa analisou especificamente os perfis postados em sites de relacionamento em várias cidades canadenses e em Londres, e os resultados reforçam tanto a importância do humor como a diferença entre os gêneros nesse assunto: os homens ressaltavam sua habilidade de fazer a parceira rir 53% mais do que as mulheres, enquanto elas buscavam 56% mais do que os homens um parceiro que as fizesse rir.[6]

Esses resultados sobrevivem ao teste do tempo e também do espaço: a BBC fez um levantamento gigantesco, com mais de 200 mil pessoas em 53 países, pedindo que apontassem as três principais características desejadas num parceiro, de uma lista de 23 qualidades. O humor era importante para todo mundo, homens e mulheres, independentemente da orientação sexual, mas para as mulheres o humor foi apontado como a característica mais importante de todas, seguida por inteligência e honestidade; para os homens, inteligência vinha à frente, seguida por boa aparência e só então humor. No caso de homens e mulheres homossexuais houve um empate, ambos valorizando humor em segundo lugar, depois da inteligência.[7]

Com isso em mente, compreendemos melhor os resultados de outra pesquisa, na qual se pediu aos voluntários que dissessem quão atraentes eles achavam James e Chloe. Ambos eram personagens criados pelos pesquisadores, com características usualmente valorizadas na busca de um relacionamento, conforme mostravam pesquisas anteriores: James era descrito como solteiro, ambicioso, com boas perspectivas de trabalho e status elevado; Chloe era jovem, solteira, saudável e atraente. A única coisa que variava era o senso de humor: para parte dos voluntários se dizia que James ou Chloe eram bem-humorados; para outros, que eles tinham o senso de humor normal; e para um terceiro grupo, que eles não tinham senso de humor. O resultado foi que os homens achavam a Chloe bem-humorada 15% mais atraente do que a mal-humorada, enquanto as mulheres diziam que o James bem-humorado era 30% mais atraente que o seu equivalente sem bom humor. Todo mundo acha gostoso rir com seu parceiro, mas as mulheres em geral gostam um pouco mais. Quando a pergunta era o quão adequados para um relacionamento de longo prazo esses personagens seriam, o humor conferia a James os mesmos 30% de vantagem; já Chloe melhorava seu desempenho, sendo considerada 25% mais adequada para uma relação duradoura.[8] E aquele mesmo estudo feito no Canadá e em Londres com perfis em sites constatou que o interesse das mulheres por perfis bem-humorados chegava a ser 50% maior do que por perfis sem tal característica expressa.

Por fim, o mais importante: realmente funciona. Um psicólogo e alguns alunos seus entraram num bar. Não, não é piada. Eles queriam testar se as piadas eram realmente uma arma na sedução e, para isso, pediram a um trio de rapazes que ficasse conversando perto de uma garota desacompanhada. Fizeram isso dezenas de vezes, sendo que em 28 ocasiões o rapaz que abordaria a moça contou algumas piadas bobas, suficientemente alto para que ela ouvisse, e em 26 vezes ele apenas ouvia outro contando as piadas, também alto o suficiente. Quando a conversa acabava e cada um ia para seu canto, o rapaz se aproximava dela, dizia tê-la notado e, desculpando-se por precisar ir embora, pedia seu telefone. Na maioria das vezes, ele não conseguiu o número, mas note: quando ele tinha passivamente ouvido a piada do outro, apenas 4 das 26 garotas nessa situação aceitaram dar o telefone; já quando era ele quem tinha contado a piada, 12 das 28 garotas deram seu número.[9]

Humor e inteligência

Como humor e inteligência são características valorizadas por todo mundo na busca por um parceiro, cientistas resolveram verificar se haveria relação entre essas características e o sucesso amoroso. Para isso, fizeram uma pesquisa com alunos universitários que avaliou a inteligência e a habilidade humorística de 400 estudantes (200 rapazes e 200 moças), comparando os resultados com a frequência com que eles faziam sexo. Aplicaram testes de QI, pediram que criassem legendas engraçadas para cartuns e, por fim, pediram que respondessem a um questionário sobre comportamento sexual, cobrindo relações de curto ou longo prazo. Como você pode imaginar pelo que vimos até aqui sobre o humor, o resultado apresentou uma forte correlação com a inteligência: a habilidade de fazer uma piada pertinente, adequada e engraçada depende de capacidades cognitivas bem desenvolvidas. Até aí, nada de muito novo. O mais interessante foi descobrir que, para o número de relações sexuais, a inteligência sozinha não fazia diferença, a não ser que se refletisse em mais habilidade humorística. Não basta ser inteligente, tem que mostrar. E a melhor maneira de mostrar, concluíram os cientistas, é fazendo graça. "O humor não é apenas um indicador de inteligência confiável; ele pode ser um dos traços mais importantes para os seres humanos que procuram companheiros", atestam eles.[10]

Aqui, cabe uma digressão: como vimos, desde crianças as meninas riem mais dos meninos do que o contrário. O palhaço da turma normalmente é um menino. Isso não prova que os homens são mesmo mais engraçados? Não necessariamente. Esse mesmo padrão de diferença de percepção é encontrado também em relação à inteligência: a partir dos 6 anos, as meninas acreditam menos que os meninos que crianças de seu gênero sejam "muito, muito espertas" e tendem a evitar brincadeiras que acreditam ser feitas para crianças assim tão inteligentes.[11] Nem vou perguntar se você acredita que homens sejam mais inteligentes do que mulheres (porque não são). Mas se desde cedo achamos que a inteligência é uma característica mais masculina, e se o humor é uma forma de demonstrá-la publicamente, fica claro por que meninos e homens fazem mais piadas do que meninas e mulheres. Eles se acham mais espertos, e querem mostrar isso. Elas não se acham tão espertas, por isso não mostram toda a sua capacidade.

"Mas e para você, Daniel, funcionou?", você pode estar se perguntando. Vou abrir o jogo: daquela vez não, mas a culpa não foi do humor. Acho que a menina simplesmente não estava a fim de mim, paciência. Sorte a minha, que encontrei mais tarde outra mulher para fazer rir, com quem estou casado até hoje e que, felizmente, continua rindo das minhas palhaçadas – e também me fazendo rir.

Afinal, o riso não é importante apenas no início de um relacionamento, mas trata-se de um ingrediente importante também na manutenção dele. Quando se lembram de situações em que riram juntos, os casais dão notas mais altas para a qualidade de seus relacionamentos, e casamentos longevos sobrevivem – ao menos de acordo com os envolvidos – muito por causa do bom humor: rir juntos estava entre as três principais causas do sucesso do casamento na opinião dos casais, que, em sua maioria, diziam rir juntos pelo menos uma vez por dia.[12] Rir pode não ser uma forma tão eficaz de se livrar dos médicos, mas é bem capaz de manter longe os advogados de família.

E, uma vez constituídas, as famílias talvez sejam os meios em que mais compartilhamos risadas. No seio do convívio constante cria-se o que Peter L. Berger chama de cultura cômica, um conjunto de "definições de situações, papéis e conteúdos aceitáveis cômicos, em qualquer grupo social ou sociedade".

Além de divertir e fortalecer os vínculos, a cultura cômica estabelece fronteiras muito claras entre quem é da família e quem não é – fenômeno que se repete em outros grupos com suas próprias culturas e piadas internas. Berger conclui então que "a cultura cômica é, ao mesmo tempo, inclusiva e exclusiva".[13]

Por isso é preciso um alerta: como nada é muito simples nas relações humanas, o fortalecimento dos vínculos promovido pelo riso tem também outro lado, não muito bonito. Tente imaginar qual seria. Ao rirmos juntos nos aproximamos, sim, mas qual pode ser o problema de aumentar nossa identidade de grupo? Arrisque um palpite, mas não prometo que vou conseguir segurar o riso se você disser uma besteira.

Deu para sentir certo mal-estar ao se imaginar sendo alvo de zombaria? Esse é o outro lado do riso: ele aproxima quem ri conosco, mas exclui – e fere – as pessoas de quem rimos.

Rir dos outros

Estamos no último capítulo e eu me sentiria muito ofendido se neste ponto da leitura eu precisasse lhe lembrar que o humor sempre carrega algo de agressivo, usualmente um quê de superioridade sobre o alvo do riso. Não preciso, certo?

Quando rimos de alguém ou de um grupo, o fazemos em parte às custas do seu rebaixamento. Sim, é sempre possível rir de si mesmo, e o humor autodepreciativo é uma maneira bastante eficiente de gerar empatia. Líderes que usam essa tática são mais bem avaliados por suas equipes em termos de confiança e de habilidade de dirigir a equipe, por exemplo.[14]

Provavelmente, isso acontece porque o humor, sendo aquele alerta para erros inofensivos, coloca em primeiro plano uma imperfeição, um defeito, e quando pessoas de status elevado fazem isso, mostram que não são perfeitas, reduzindo assim a idealização e se tornando mais próximas de nós – fica mais fácil se identificar com elas.

Nesse cenário, rir de alguém é, paradoxalmente, uma forma de se aproximar da pessoa: antes vista como distante, seus defeitos inocentes a tornam mais semelhantes a nós. O humor autodepreciativo é arriscado, no entanto, porque se alguém acha que tem um status elevado perante o grupo mas as pessoas não a veem assim, a piada pode ser mais humilhante do que humanizadora. Imagine: João está no seu primeiro dia de estágio. Na reunião de apresentação à equipe, querendo usar o humor para estreitar os laços, ele diz que é tão preguiçoso que seu despertador pediu afastamento da função por esgotamento. Ele obterá, no máximo, alguns risos amarelos e se sentirá mais excluído do que incluído.

Esse é um risco para todo tipo de humor, não apenas o autodepreciativo. Tripudiar de quem está por cima – seja você mesmo ou outros – pode ser engraçado por ser percebido como uma violação benigna, mas rebaixar quem já está por baixo se torna facilmente agressão pura e simples. A famosa frase "Toda piada é uma pequena revolução", do escritor George Orwell, é parte de um ensaio sobre o humor que trata desse aspecto:

> Uma coisa é engraçada quando – de alguma forma que não seja realmente ofensiva ou assustadora – perturba a ordem estabelecida. Toda piada é uma pequena revolução. Se você

tivesse que definir o humor em uma única frase, poderia defini-lo como a dignidade sentada numa tachinha. Qualquer coisa que destrua a dignidade e derrube os poderosos dos seus assentos, de preferência com uma pancada, é engraçada. E quanto mais do alto eles caem, maior é a piada. Traria mais diversão atirar uma torta num bispo do que num cura.[15]

Mas nem sempre quem está por cima gosta das piadas.

Políticos e ditadores

"É fácil ser humorista quando você tem o governo todo trabalhando para você", disse o comediante americano Will Rogers. De fato, os políticos são um prato cheio: gozam de um status elevado no grupo por serem figuras de liderança, estão frequentemente em visibilidade e, não importa o que façam, sempre terá quem ache que foi um erro.

O filósofo Henri Bergson, cuja teoria examinamos lá no Capítulo 2, acredita que o humor tem a função principal de justamente apontar erros e corrigi-los. A risada seria, assim, uma punição que levaria ao aprendizado.

> Mas um defeito ridículo, ao sentir-se ridículo, procura modificar-se, pelo menos exteriormente. (...) Podemos dizer desde já: é nesse sentido, sobretudo, que o riso "castiga os costumes". Ele nos faz tentar imediatamente parecer o que deveríamos ser, o que sem dúvida acabaremos um dia por ser de verdade.[16]

Veja a importância dos humoristas na democracia. A piada vira uma verdadeira arma em suas mãos, como já dizia, no século retrasado, Lima Barreto:

> Não quero fazer revoltas; não as aconselho e não as quero; mas não devemos dar o nosso assentimento tácito a todas as extorsões que andam por aí. A troça é a maior arma de que nós podemos dispor e sempre que a pudermos empregar, é bom e útil. Nada de violências, nem barbaridades. Troça é simplesmente troça, para que tudo caia pelo ridículo. O ridículo mata e mata sem sangue.[17]

Pode ser exagero dizer que o humor derruba governos por si só, mas sem dúvida o acúmulo de absurdos apontados por comediantes, memes e piadas é capaz de balizar de alguma forma a percepção das pessoas. Como disse Humberto de Campos em 1920, no seu discurso de posse na Academia Brasileira de Letras, a sátira pode ser

> a sentinela da virtude. Denunciando o vício atrevido, amedrontando o crime insolente, assinalando, rápido, com um traço de fogo, as feridas de caráter onde elas mostram os bordos, o satírico é um dos elementos indispensáveis à disciplina dos instintos, dos costumes, das instituições. A sátira é, mesmo, o freio de ouro das sociedades desembestadas.[18]

Mas se nas democracias o humor ajuda a apontar os problemas e por vezes leva a mudanças de rota – seja porque o político se emenda, seja por não ser reeleito –, nas ditaduras não é bem assim. Ditadores são conhecidos por tentar proibir toda manifestação de humor, pois a força das ditaduras vem, em grande parte, da imagem imaculada de seu líder: ao se fazer parecer perfeito, as pessoas não pensam tanto em derrubá-lo ou tentar trocá-lo por outro. As piadas são perigosíssimas para eles, portanto, pois essa aura se desfaz quando se tornam objeto de escárnio. O humorista levanta o véu para que todos vejam outro lado; ele posiciona sua lente de aumento precisamente sobre os defeitos que o mandatário quer esconder. E, ainda mais ameaçador para os governos autoritários, o riso reduz o medo, como nota Terry Eagleton, ao apontar que a comédia

> não leva a sério questões tão momentosas quanto o sofrimento e a morte, assim diminuindo a força de algumas das sanções judiciais que as classes governantes tendem a esconder na manga. Ela pode gerar uma despreocupação que afrouxa o punho da autoridade.[19]

Acho até que poderíamos criar um índice das inclinações democráticas dos políticos a partir disso: quanto mais tolerantes ao humor eles forem, mais distantes dos ditadores se encontram. Quanto mais dificuldades criarem para os comediantes, mais afeiçoados são ao autoritarismo.

O exemplo máximo disso é, sem dúvida, o filme *O grande ditador*: quando imita Adolf Hitler (Figura 6.1), Charles Chaplin torna evidente o ridículo daquele personagem de uma forma que é impossível esquecer. Isso é inadmissível para alguém que pretende passar uma imagem de perfeição. A genialidade de Chaplin ali se une ao poder destruidor da imitação, pois nela "o alvo da imitação é convocado para participar na sua própria destruição. (...) Quando se imita alguém, o imitado está envolvido, contra sua vontade, na crítica a si mesmo".[20] E ao exagerar seus maneirismos durante a imitação, outra camada de comicidade é ainda acrescentada, pois, como bem observa Bergson: "É cômico todo incidente que chame nossa atenção para o físico de uma pessoa, quando o que está em questão é o moral."[21]

Figura 6.1

Por mais poderosas que sejam as bombas de risada, contudo, é difícil atribuir à comédia as verdadeiras revoluções. Mas derrubar governos nem é mesmo a principal razão de ser das piadas de teor político. Com seu poder de aliviar o estresse da situação e amenizar as emoções negativas associadas a uma situação, o humor prolifera tanto mais quanto mais amedrontador parecer o contexto da sociedade. "Onde houver ansiedade coletiva, haverá piadas para expressar tal ansiedade. Nenhuma piada, ou pelo menos a estrutura formal delas, continuará a ser transmitida a menos que tenha algum significado para a história naquele momento", aponta o historiador da cultura Elias Thomé Saliba.[22] Para o estudioso do humor Christie Davies, esse é exatamente o caso: as piadas são um termômetro, não um termostato – elas indicam como as coisas estão, mas não são, por si sós, capazes de alterar o *status quo*.

Existe até quem veja o risco de acontecer o contrário: ao rirmos de uma situação séria, esvaziamos sua gravidade – lembra-se da campanha bem-humorada que fez os jovens se importarem menos com o uso de preservativos? – e aumentamos nossa tolerância com coisas que não deveríamos aceitar. É onde entra o discurso do politicamente correto.

Racismos e outros ismos

O politicamente correto pode ser uma chatice às vezes, mas geralmente é fundamental. Eu trabalho para livrá-lo dessa aura de chato, para que mais gente veja sua importância. Esse movimento, que ganhou força na virada do século XX para o XXI, procura apontar as manifestações ou expressões de várias naturezas – músicas, livros, filmes, piadas, o que seja – que discriminam, marginalizam ou de qualquer outra forma ataquem grupos minoritários, discriminados por religião, gênero, raça ou classe. Até minha adolescência, era comum ver na televisão piadas com pessoas pretas e homossexuais, coisa que foi banida definitivamente. Os críticos ao politicamente correto se incomodam e alegam que são só piadas, enquanto seus defensores insistem que há temas peremptoriamente proibidos.

Não acredito que existam temas absolutamente proibidos. O jornal satírico *The Onion* conseguiu estampar uma manchete fazendo piada com o atentado de 11 de setembro no dia seguinte ao ataque: "Sequestradores surpresos ao descobrir que estão no inferno." A questão é a forma de abordar o tema. Como lembra Yves de La Taille, e como temos visto neste capítulo, o humor é uma forma de crítica, e é perigoso determinarmos previamente quais críticas são permitidas e quais são proibidas numa sociedade.

É preciso, contudo, que seja uma crítica muito particular, que se propõe ser agressiva, mas não muito; ácida, mas brincalhona – mais uma vez, nos deparamos com a ideia de violação benigna. Assim como tirar sarro de si mesmo quando não se está numa posição elevada pode ser humilhante e excludente, fazer humor às custas de quem enfrenta discriminação fere a dignidade humana. Segundo La Taille, dignidade envolve

> ser tratado de forma justa, ter a sua intimidade preservada, não sofrer violência etc. Quando tal não ocorre, ou seja, quando a pessoa sofre alguma forma de agressão, ela se sentirá ferida na sua dignidade e experimentará um sentimento diretamente relacionado a ela: a indignação.[23]

Eis por que muitas piadas geram esse sentimento de indignação na sociedade. Como diz o crítico literário Northrop Frye em seu ensaio sobre a crítica: "O satirista tem que selecionar suas absurdidades, e o ato de seleção é um ato moral."[24]

O mesmo se dá com os temas das piadas. Atacar valores estabelecidos, tidos em alta conta, valorizados por todos – a ideia da família tradicional, a meritocracia, a saúde financeira, etc. – não coloca tais valores em risco, da mesma forma que o chefe ironizar sua própria mania de cutucar o nariz nas reuniões não ameaça seu cargo. O genial escritor G. K. Chesterton, um dos maiores apologistas do catolicismo, afirma que o efeito é exatamente o contrário, o de fortalecer a posição estabelecida: "É a prova de uma boa religião você poder fazer piadas com ela."[25] Já o humor feito em cima de valores ainda frágeis, não consolidados na sociedade – como igualdade de gênero, igualdade racial, casamento gay e assim por diante – pode fragilizar essas conquistas ainda não sedimentadas.

"Ah, para com isso", você pode pensar. "Ninguém vai tratar mal uma pessoa preta só porque ouviu uma piada." Será que não?

Diversos estudos contradizem a ideia de que piadas são inofensivas e confirmam seus efeitos concretos. Proposta por Ford e Ferguson, a teoria da norma preconceituosa sugere que o humor discriminatório leva à sensação de que o preconceito é normal e não tão negativo, liberando a expressão de comportamentos discriminatórios por parte de pessoas já preconceituosas. Como o humor reduz a carga negativa das emoções, essas pessoas se sentem menos mal em agir de acordo com seus preconceitos.

Desde que foi proposta, essa teoria vem se comprovando em pesquisas com temas variados. Voluntários que contaram piadas sobre a população de Terra Nova, no Canadá (algo como paulistas contarem piadas de nordestinos), aumentaram muito mais estereótipos negativos com relação a eles quando as piadas eram depreciativas e os menosprezavam.[26]

Com relação às mulheres não é diferente: quando expostos a

piadas machistas, homens que têm inclinações sexistas e discriminatórias pioram muito sua atitude com relação às mulheres, classificando como menos problemáticas atitudes envolvendo sexo sem consentimento.[27] Em outra pesquisa, alunos expostos a piadas sexistas e não sexistas eram convidados a doar 20 dólares para uma ONG atuante no direito das mulheres; os voluntários machistas expostos às piadas preconceituosas eram os que menos doavam – menos até do que os machistas que haviam lido frases preconceituosas sérias. Na etapa seguinte, outros voluntários, também divididos entre os mais e os menos preconceituosos, assistiram a vídeos de humor com ou sem referências a estereótipos femininos e, em seguida, tiveram que decidir sobre um corte que a universidade faria nas verbas de associações de estudantes. Havia associações atuantes em cinco temas diferentes, e, enquanto todos os outros voluntários distribuíram os cortes homogeneamente, os rapazes mais preconceituosos que viram os vídeos sexistas foram os únicos que cortaram proporcionalmente mais da associação que trabalhava pelos direitos das mulheres.[28]

O mesmo efeito se dá com o racismo: piadas menosprezando pessoas pretas alimentam estereótipos negativos contra essa população; ironicamente, tanto piadas que debocham do racismo quanto aquelas que debocham dos racistas podem ter esse efeito, por frequentemente serem percebidas como preconceituosas e não como críticas ao preconceito. É o caso da piada "Como se chama um preto que pilota um avião? Piloto, seu racista!". A graça surge ao se quebrar a expectativa de uma resposta preconceituosa e apontar o racismo implícito nessa expectativa, mas boa parte das pessoas não percebe essa grande diferença.[29] Tinha razão o cronista carioca Antônio Maria ao dizer que "o homem mau ri errado".

Mesmo com todas essas evidências, há quem ainda acuse o politicamente correto de ser chato. Acho que, se quisermos que mais gente aceite sua mensagem, compreender por que ele é importante é tão essencial quanto analisar por que ele pode parecer chato. Todo mundo se considera uma boa pessoa; quase ninguém pensa "Eu sou mau e sou feliz!". Quando somos informados de que algo que fazemos é errado, ofensivo, agressivo ou opressivo, nossa primeira reação tende a ser a negação. Se eu sou bom, como posso estar fazendo algo mau? É assim que muita gente rejeita de primeira o politicamente correto quando confrontado com o racismo ou machismo de suas falas, sobretudo quando ele vem carregado de um tom acusador, sinalizando virtude ou uma suposta superioridade moral, como quem diz "Eu sou melhor do que você porque não faço o que você faz".

Talvez mais gente compreenda a importância dessas mudanças se conseguirmos colocar o foco nos prejuízos que essas piadas causam para toda a sociedade, na dor que elas provocam em seus alvos, e deixar o tom acusatório que por vezes acompanha o discurso politicamente correto.

Sim, dor. Porque se perceber alvo de piadas é uma dor praticamente universal, e chamar as pessoas a refletir sobre como se sentiriam sendo caçoadas apenas por serem quem são, tendo suas características transformadas em motivo de riso, ajuda a sentir na pele como o humor pode ferir os outros. Não é só a humilhação, mas – quem sabe ainda mais importante – a sensação de ser excluído, expulso, alijado daquele grupo.

A risada compartilhada é uma maneira de unir o grupo, e ficar de fora dele pode ser tão doloroso quanto a dor física. Exames de ressonância magnética mostram que as áreas do cérebro envolvidas na resposta dolorosa também são ativadas quando observamos outros sentindo dor; a mesma coisa – e nas mesmas regiões – ocorre quando experimentamos (ou testemunhamos) situações de rejeição em que somos ignorados ou excluídos socialmente, o que explica por que parece que sentimos uma dor na alma.[30]

Anteriormente, levantamos a hipótese de que o grande efeito da risada na redução do estresse vinha da sensação de que estamos seguros inseridos em nosso grupo. Com as piadas de cunho preconceituoso ocorre exatamente o contrário – nos sentimos excluídos e inseguros –, o que é um dos maiores estresses que existem.

E aquela do português?

Essa função de delimitar os de dentro e os de fora fica explícita nas piadas com estrangeiros, presentes em praticamente todos os lugares (menos na Ásia Oriental, segundo o pesquisador Christie Davies).[31] A tradição vem de muito longe. Das 265 piadas encontradas no manuscrito conhecido como *Philogelos* (do grego *philo*, que significa amante, amigo, e *gelos*, que significa risada), a mais antiga coleção de piadas escritas de que se tem registro, nada menos que 72 são dirigidas às populações de cidades vizinhas. É claro que muitas delas já não têm graça ou sequer fazem sentido para nós, mas algumas são bem boas, como a do cidadão de Kyme que, quando foi comprar janelas, perguntou se eram voltadas para o sul.[32] Ou a do morador de Kyme que levou o corpo do pai para ser mumificado em Alexandria; ao retornar para buscá-lo, o mumificador lhe mostrou vários corpos e perguntou se o morto tinha algum sinal que pudesse identificá-lo, ao que o filho respondeu: "Ele tossia."[33]

Para Davies, essas piadas falam muito mais sobre quem as conta do que sobre seus alvos. Ex-presidente da International Society for Humor Studies, ele se debruça sobre as origens culturais das piadas e acredita que nossa ansiedade moderna com relação à estupidez, o medo que temos de parecermos burros e não possuirmos inteligência suficiente para dar conta de um mundo cada vez mais complexo, nos leva a criar – e cultivar – essas "piadas de estupidez". É uma forma de exorcizar a burrice atribuindo-a aos outros.[34]

É evidente que o grupo atacado não é composto apenas de pessoas estúpidas, caso contrário estaríamos falando de um humor para lá de politicamente incorreto – seria inaceitável, por exemplo, um conjunto de anedotas apontando a falta de inteligência de crianças com retardo mental. Não é a falta de inteligência objetiva do outro que está em questão, e sim o fato de nos sentirmos muito inteligentes apontando a estupidez alheia. Para isso funcionar, contudo, é preciso que esse alvo seja parecido o suficiente conosco – para não cairmos no absurdo de tripudiar de pessoas com deficiência, por exemplo –, mas diferente o bastante para ser considerado "de fora". O estrangeiro, o forasteiro, o morador de outra cidade, outro bairro, às vezes até da rua de cima, atende perfeitamente esses requisitos. Para a historiadora Isabel Lustosa, é isso que está na origem das nossas piadas de português.

> Ele é o estrangeiro que se encontra fora de casa, que tem um tipo físico diferente do nosso, uma cultura diferente da nossa. No caso brasileiro, em que a imigração mais forte e continuada foi a dos portugueses, somaram-se outros aspectos para propiciar essa eleição: a história pregressa dos portugueses como nossos colonizadores, garantindo uma rejeição natural; o fato de falarem a mesma língua de forma diferente, o que dá mais graça à anedota narrada; e a situação que ocuparam na sociedade brasileira.[35]

Essa mesma lógica explica outras ondas, como a fase de piadas de loiras que atravessamos ao longo dos anos 1990. Nosso Indiana Jones dos chistes, Christie Davies, conseguiu encontrar os rastros desse ciclo em sete países do mundo: Estados Unidos, Brasil, Croácia, França, Alemanha, Hungria e Polônia. Como no caso dos imigrantes, dos estrangeiros ou dos vizinhos, fazer graça com a suposta burrice das loiras servia tanto para reafirmar a inteligência de quem contava tais piadas como para lidar com as ansiedades de um mundo em transformação, no qual as mulheres ganhavam cada vez mais espaço no mercado de trabalho, em posições de liderança, e era preciso deixar para trás a imagem de que toda mulher era incompetente.[36] Restringir o estereótipo de objetos sexuais sem cérebro à personagem da "lôrabúrra", como cantava à época o rapper Gabriel, o Pensador, fazia exatamente isso. Cumprido esse papel, o ciclo se encerra e hoje praticamente não se contam piadas de loiras.

Ciclos de piadas funcionam exatamente assim: são um fenômeno popular em que anedotas curtas emergem em resposta a uma situação estressante ou desconfortável. Os ciclos são mais curtos quando a situação é aguda, como no caso de um acidente trágico ou outro evento de alto impacto (pense na época da morte de Ayrton Senna, dos ataques às Torres Gêmeas ou mesmo quando a seleção de futebol brasileira perdeu em casa para a Alemanha por 7 a 1), e são mais longos quando respondem a mudanças estruturais, como foi o caso dos ciclos de piadas de loiras, o ciclo de piadas de advogados (nos Estados Unidos dos anos 1980) ou mesmo o ciclo das piadas de lâmpada – aquelas em que se pergunta quantas pessoas de um grupo, raça, profissão ou mesmo religião são necessárias para trocar uma lâmpada, e a resposta traz algum estereótipo ligado ao grupo em questão.

Por exemplo: quantos psiquiatras são necessários para trocar uma lâmpada? Um só basta, mas a lâmpada tem que querer mudar. Como psiquiatra, essa piada me faz pensar: eu sei que, se quisermos, podemos mudar a maneira como rimos – podemos rir mais com os outros e menos dos outros. Mas até que ponto estamos dispostos a mudar?

Conclusão

Existe um provérbio japonês que diz que tempo passado rindo é tempo passado com os deuses. É difícil discordar de que o riso tenha algo de transcendental depois de vislumbrarmos todo o seu potencial. Alegria, tranquilidade, saúde, atenção, memória, aprendizado, atração, superação – a lista de efeitos positivos do humor é tão longa que torna inevitável nos perguntarmos como não sabíamos disso até agora.

Não é de todo verdade. Ao longo da vida, usamos bastante os poderes do humor, mas na maior parte do tempo o fazemos de forma inconsciente. Antes mesmo de ler este livro você já ria para tranquilizar seu chefe, agradar sua esposa ou seu marido, brincar com as crianças, avisar as pessoas que não se machucou depois de um tombo. Talvez só não o fizesse com intenção consciente – e é isso que pode mudar daqui para a frente, agora que você tomou conhecimento das possibilidades de uma boa risada. Trazer à consciência a presença e o papel do humor no nosso dia a dia pode nos tornar mais virtuosos.

O filósofo André Comte-Sponville, em seu *Pequeno tratado sobre as virtudes*, não tem dúvidas em incluir o humor entre elas, as virtudes. Ao lado de justiça, generosidade e coragem, o que a disposição para o riso poderia estar fazendo ali? Com seu poder de enxergar as coisas por novos ângulos, o humor é uma virtude porque nos torna humildes. Sabe as pessoas que se levam a sério demais, que acreditam muito nas próprias opiniões, gostam muito de ouvir a própria voz? Elas não parecem um pouco ridículas? O humor nos protege de ficarmos desse jeito: "Não ter humor é não ter humildade, é não ter lucidez, é não ter leveza, é ser demasiado cheio de si", escreve Comte-Sponville. "O excesso de seriedade, mesmo na virtude, tem algo de suspeito e de inquietante: deve haver alguma ilusão ou algum fanatismo nisso."[1] Tanto essa ilusão quanto esse fanatismo são prevenidos pelo humor, que nos protege de ficarmos ridículos ou perigosos, respectivamente.

O apego excessivo à honra e ao dever pode se tornar tão pesado que é por vezes chamado de *gravitas*, palavra latina que significa peso. As pessoas assim iludidas dão demasiada importância à seriedade, que se torna para elas um fardo. O humor ataca de frente tal excesso, segundo Terry Eagleton.

> Uma grande arma da campanha contra a *gravitas* da classe média é a espirituosidade, (...) um tipo de humor que frustra as expectativas convencionais, desviando-se maliciosamente do previsível, mas o faz, na maioria das vezes, de forma leve e casual, sem o rancor do militante político ou a grosseria do burguês.[2]

Essa ilusão ridícula se torna fanatismo perigoso quando suas crenças são de tal modo arraigadas que se dirigem para os extremos de um lado ou outro. Pode parecer surpreendente, mas a falta de senso de humor é uma das raízes do extremismo, para o qual a risada é um antídoto. O escritor israelense Amós Oz escreveu exatamente isso numa carta ao seu colega de letras Kenzaburo Oe:

> O senso de humor é uma grande cura. Nunca vi em minha vida um fanático com senso de humor, e nunca vi uma pessoa com senso de humor tornar-se um fanático, a menos que ele ou ela tenha perdido o senso de humor. Sobretudo o humor autodepreciativo. Se você tem um tipo de humor que lhe permite rir de si mesmo, você é imune ao fanatismo.[3]

Todos nós temos certa tendência a acreditar que estamos certos e que obviamente as pessoas inteligentes e racionais têm de concordar conosco. Essa tendência é conhecida como viés de falso consenso – sim, falso. Desculpe ser eu a dar a notícia, mas suas opiniões não são consenso, existe muita gente bastante inteligente que discorda de você. E de mim. E tudo bem. Na maioria das vezes, somos capazes de ao menos reconhecer o dissenso, e graças a isso não nos tornamos fanáticos, ainda que nos mantenhamos convictos. Os fanáticos têm tanta certeza de suas ideias que se tornam incapazes de enxergar a questão por outros pontos de vista. Acham que todos pensam como eles, menos os "inimigos" – como são logo classificados aqueles que discordam –, e só conseguem dialogar com quem compartilha de suas ideias. Isso só faz agravar o problema, já que o pensamento de grupo inibe qualquer tipo de questionamento, alimentando ainda mais o radicalismo. O humor combate o fanatismo por ir contra o consenso, fazendo aquilo que ninguém no grupo tem coragem de fazer: considerar a existência de alternativas. Ele golpeia mortalmente a visão unilateral, torcendo o pescoço das pessoas ao forçá-las a olhar para pontos de vista diferentes. A risada franca é um ataque certeiro que abala qualquer fanatismo.

Décadas antes da carta de Amós Oz, o etologista Konrad Lorenz já depositava esperanças no poder do humor como aliado nessa batalha. O homem muito orgulhoso de si, sem senso de ridículo, torna-se incapaz de refletir adequadamente sobre seu lugar no universo. Quando é dotado de humor, contudo, ele não corre esse risco, "porque não pode deixar de perceber que idiota pomposo ele se tornaria se o fizesse". Lorenz põe fé na capacidade do humor de se fazer ouvir até mesmo pelos mais arrogantes, pois

> seu poder persuasivo reside na forma de seu apelo: ele pode fazer-se ouvir pelos ouvidos que, por conta do ceticismo e da sofisticação, são surdos a qualquer pregação direta sobre moralidade. Em outras palavras, a sátira é o tipo de sermão certo para nossos dias.[4]

Contemplar a grandeza do universo e sua permanência inimaginável em contraponto à pequenez e à transitoriedade da vida humana é só um remédio contra um orgulho ridículo, talvez por ser a incongruência original por trás de toda piada. Para o teólogo Peter L. Berger,

> a experiência cômica aponta para essa incongruência ontológica: o ser humano como um ser consciente, suspenso nessa posição ridícula entre os micróbios e as estrelas. To-

das as pretensões humanas de sabedoria e poder são comicamente desmistificadas à medida que esta incongruência fundamental é percebida.[5]

Berger vai além, e imagina que o riso, ao nos livrar momentaneamente da dor e do sofrimento, mostrando uma realidade além da nossa experiência imediata, pode se tornar um sinal da transcendência, apontando para "aquele outro mundo que sempre foi objeto da atitude religiosa" – é o que ele chama de "riso redentor".[6]

Como dizem os sobreviventes do Holocausto ou os profissionais da saúde, a risada não é uma solução mágica, mas aponta para as realidades que estão além das circunstâncias imediatas à nossa volta, seja de dor, sofrimento ou tristeza. Também para Berger, a risada

> não elimina, milagrosamente, o sofrimento e o mal neste mundo, nem fornece uma prova autoevidente de que Deus age no mundo e pretende redimi-lo. Contudo, na perspectiva da fé, o cômico se torna um grande consolo e um testemunho da redenção que ainda está por vir.[7]

Não significa que os comediantes sejam sacerdotes disfarçados, mas que a risada ergue o véu da nossa sofrida realidade e nos deixa contemplar um outro lado, um lugar onde não há dor. Muitos de nós aproveitaremos apenas esse breve momento do riso – o que por si só já é bastante. Mas, para Berger, aqueles que têm fé podem, graças a essa espiadela, obter um vislumbre de outra realidade possível.

Esse é o verdadeiro dom dos humoristas, para Ricardo Araújo Pereira: "Fazer com que as pessoas se riam desta ideia: por mais que façam, vão morrer. Fornecer-lhes uma espécie de anestesia para esse pensamento." No entanto, a meu ver ele se equivoca ao dizer que "é um ofício belo, nobre, indispensável e inútil: sim, o riso tem o poder de esconjurar o medo, mas só durante algum tempo, talvez apenas durante o tempo que dura a gargalhada. Às vezes, nem tanto."[8]

O poder do riso não é necessariamente transitório. Ele não é capaz de nos fazer esquecer definitivamente a morte, tampouco de impedi-la, mas pode superar o sofrimento que ela causa. George Bonanno, professor de Psicologia da Universidade Columbia, em Nova York, e seu colega Dacher Keltner, da Universidade da Califórnia em Berkeley, estudaram a ocorrência de risadas e sorrisos em pessoas viúvas havia seis meses, por meio de entrevistas em que falavam sobre seu luto. Ficou claro que aquelas que eram capazes de dar risos de Duchenne – os emocionais, verdadeiros – sentiam menos raiva, menos angústia, mais emoções positivas e ainda mantinham relacionamentos melhores com outras pessoas.[9] Bonanno passou a defender que, ao contrário do que imaginamos, a expressão das emoções negativas nem sempre é benéfica no processo do luto e que estimular emoções positivas tem um papel muito importante.

Como tantos *insights* sobre a natureza humana, esse também já estava presente na mitologia grega – como diz Mario Quintana, "tolice alguma nos ocorrerá que não a tenha dito um sábio grego outrora".[10] O mito de Perséfone conta – juntando aqui algumas versões – que, depois de ela ser sequestrada por Hades, senhor do submundo, Deméter, sua mãe, ficou desesperada e saiu à sua procura disfarçada como uma velha. Ao chegar à região de Elêusis, cansada da procura vã, Deméter se sentou sobre uma pedra na beira da estrada, profundamente triste, e ali permaneceu por nove dias e nove noites, incapaz de sequer esboçar um sorriso. (Essa pedra ficou conhecida como *agelasta*, que significa "ausência de riso" em grego.) Ainda disfarçada, Deméter foi feita hóspede por Céleo, rei da região. Vendo sua tristeza, uma velha criada do rei, chamada Baubo, tentou alegrá-la oferecendo-lhe uma bebida. Em profundo luto, Deméter recusou, mas Baubo não desistiu e, em meio a gracinhas lascivas e bufonarias, levantou a saia, para espanto de Deméter, fazendo-a voltar a sorrir e abrindo a porta para que ela começasse a melhorar. Os gregos chamavam isso de *anasirma*, o ato de levantar a saia e mostrar a genitália ou o traseiro com o propósito de fazer rir, e tal ato tornou-se parte dos "Mistérios de Elêusis", rituais em honra a Deméter, deusa da colheita, e sua filha Perséfone, deusa da flora e dos perfumes. E Baubo tornou-se a deusa da alegria e da obscenidade.

Mas de onde vem essa potência da risada? O que dá a esse espasmo diafragmático que nos domina unindo corpo e mente o poder de nos fazer tanto bem?

Acredito que tudo seja consequência de sua característica mais essencial: a capacidade de nos conectar. Desde bebês, antes mesmo de termos consciência do que estamos fazendo, rimos para os outros como forma de criar vínculos emocionais. E funciona: os outros riem de volta e aumentam seu amor por nós, o que nos estimula a rir mais, num círculo virtuoso que se perpetua e se retroalimenta até o fim, como testemunham os bem-humorados casamentos longevos. A risada compartilhada nos lembra que não estamos sozinhos no mundo. Então ficamos mais tranquilos. Prestamos atenção no outro. Nos alegramos em união.

O mundo pode ser cruel, carecer de um propósito; podemos estar flutuando num universo que não sabe de nossa existência. Mas, ao rirmos, lembramos que ao menos estamos juntos. E aí encontramos sentido na vida: nas relações humanas profundas, pois só nelas alcançamos as experiências mais verdadeiras. Tudo aquilo que nos conecta com os outros, portanto, nos aproxima de uma vida plena.

Por isso a risada é tão poderosa. Por isso nos faz bem. E por isso devemos prestar atenção nela, alimentá-la, cultivá-la. Porque ela dá sentido à vida.

Agradecimentos

Este foi o livro mais trabalhoso que escrevi até aqui e tenho muitas pessoas a agradecer pelo resultado. Começando pela diretora de aquisições da Editora Sextante, Nana Vaz de Castro, por toda a sua paciência e pelo suporte, que – em meus momentos de angústia ao longo do processo – eu imaginava já arrependida de topar um projeto tão ousado. Reunir um amontoado tão grande de dados e informações numa narrativa fluida e coerente é um trabalho gigantesco, mas sem o esmero da coordenadora editorial Taís Monteiro e da editora Sheila Louzada o texto final seria certamente menos fluido e menos coerente. Muitas das ideias reunidas nestas páginas foram buriladas ao longo dos anos nos meus artigos para o jornal *O Estado de S. Paulo* – o que só pude fazer pela benevolência de editores como a Charlise Morais, o Daniel Fernandes, o Ubiratan Brasil, a Bia Reis e a Adriana Moreira, que nunca implicaram com esses temas heterodoxos. Dois grandes impulsos vieram também de minha atuação no mundo da comunicação: o primeiro foi a oportunidade que tive no programa *Bem Estar*, na TV Globo, graças à diretora Patrícia Carvalho e à roteirista Fabiane Leite, de entrevistar o grupo Os Barbixas para uma reportagem do programa, trabalho que reforçou meu desejo de me aprofundar no tema. E o segundo foi a sugestão da amiga Inês de Castro, jornalista que apresentava comigo o programa *Humanamente* na Rádio Band News FM, de gravarmos uma edição especial sobre humor, o que foi possível graças à liberdade editorial que a diretora Sheila Magalhães sempre nos deu e que me obrigou a fazer uma primeira compilação de informações sobre a neurociência e a psicologia do riso. Algumas referências fundamentais me foram sugeridas pelo amigo Gustavo Bonini Castellana, psiquiatra que sempre indica bibliografias muito precisas da forma mais despretensiosa possível. Em todos os meus livros gosto de agradecer ao Instituto de Psiquiatria do Hospital das Clínicas e ao Departamento de Psiquiatria da Faculdade de Medicina da USP por abrirem um espaço tão importante para a divulgação de ciências em meio a seus corredores mais ocupados com ensino e pesquisa.

E sempre agradeço à Dani, minha esposa, ao Arthur, meu primogênito, e à Bárbara, minha caçula, por me dividirem com tantas tarefas e nunca me negarem apoio. Mas desta vez tenho um agradecimento a mais a fazer: obrigado por ainda rirem das minhas piadas.

Notas

Introdução

1 Vieira; 2001, p. 543.
2 Vieira; 2001, p. 545.
3 Vieira; Cattaneo, 2001, p. 177.
4 Vieira; Cattaneo, 2001, p. 201.
5 Allen, 2020, p. 275.
6 De La Taille, 2017.
7 De La Taille, 2017.
8 Johnston, 1985.
9 McGhee, 2010a.
10 Frankl, 2013, p. 63.
11 Pelley, 2022.
12 Berger, 2017, p. 47.
13 McGhee, 2010a.

Parte 1 – Corpo
O que é o riso

1 Livingstone, 2000.
2 Sebe, 2005.
3 Marsili; Ricciardi; Bologna, 2019.
4 Waal, 2021, p. 94.
5 Ekman; Davidson; Friesen, 1990.

6   Rychlowska et al., 2017.
7   Gervais; Wilson, 2005.
8   Waal, 2021.
9   Berger, 2017, p. 100.
10 Provine, 2000, p. 50.
11 Lavan et al., 2018.
12 Provine, 2012, p. 45-6.
13 Scott et al., 2014.
14 Provine, 2000, p. 37.
15 Provine, 2012, p. 62.
16 Oxford Languages, <languages.oup.com/word-of-the-year/2015>, acesso em 13 abr. 2022.
17 McComas, 1923.
18 McGhee, 2010a, p. 63-4.
19 Rotton; Shats, 1996.
20 Zweyer; Velker; Ruch, 2004.
21 Bremmer; Roodenburg, 2000, p. 13.
22 McGhee, 2010a, p. 70.
23 Martin et al., 2003.
24 Comte-Sponville, 2009, p. 231.
25 Beermann, 2014, p. 365
26 Berger, 2017, p. 11.
27 Berger, 2017, p. 19
28 Aaker; Bagdonas, 2020, p. 27.
29 Eagleton, 2020, p. 53.
30 Pereira, 2012, p. 39.

Como rimos

1. Aristóteles, 2004.
2. Bremmer; Roodenburg, 2000, p. 40-1.
3. Roeckelein, 2014, p. 296.
4. Kant, 1987, p. 203 (tradução livre).
5. Kant, 1987, p. 203 (tradução livre).
6. Pereira, 2012, p. 18.
7. Kuang-Ming, 1990, p. 264.
8. Spencer, 1860, p. 399.
9. Freud, 2006, p. 64.
10. Freud, 2006, p. 64
11. Freud, 2006, p. 67.
12. Freud, 2006, p. 67.
13. Eagleton, 2020, p. 22.
14. Strohminger, 2014.
15. Bergson, 2007, p. 104.
16. Bergson, 2007, p. 104.
17. Berger, 2017.
18. Bergson, 2007, p. 34.
19. Bergson, 2007, p. 13.
20. McGraw; Warner, 2014, p. 8.
21. Veatch, 1998.
22. McGraw; Warren, 2010.
23. McGraw et al., 2012.
24. Deckers; Carr, 1986.
25. Bremmer; Roodenburg, 2000, p. 255.
26. Ramachandran, 1996.
27. Scott, 2014.
28. Maranhão-Filho et al., 2013.
29. Digby et al., 2018.

Parte 2 – Mente
Por que rimos

1. Charles, 2019.
2. Geller; Davis; Peterson, 2020.
3. Fredrickson, 2004.
4. Gervais; Wilson, 2005.
5. O'Connell, 2021.
6. Silvertown, 2020.
7. Fowler; Christakis, 2008.
8. Gervais; Wilson, 2005.
9. Tik et al., 2018.
10. Ramachandran, 1998.
11. Provine, 2012, p. 56.
12. Fridlund et al., 1990.
13. Provine, 2000, p. 143.
14. Kraut; Johnston, 1979.
15. Waal, 2021, p. 104.
16. McGraw; Warner, 2014, p. 79.
17. Provine, 2012, p. 53.
18. Eduardo; Fernandes, 2002.
19. Trotta, 2016.
20. Fraley; Aron, 2004.
21. O'Quin; Aronoff, 1981.
22. Eagleton, 2020, p 94.
23. Yovetich; Dale; Hudak, 1990.
24. McGhee, 2010a, p. 24.
25. McGhee, 2010a, p. 34-5.
26. Johnson, 2008, 105.
27. McGhee, 2010b, p. 125.
28. Waal, 2021, p. 90.
29. Kraus; Chen, 2013.

Quando rimos

1. Carter, 2020, p. 195.
2. Attardo; Pickering, 2011.
3. Attardo; Pickering, 2011.
4. Carter, 2020, p. 196.
5. Archakis et al., 2010.
6. Alvord; Van Pelt, 1999, p. 171.
7. Johnson, 2008, p. 97.
8. Silvertown, 2020.
9. Gibson, 2019, p. 130.
10. Martin; Ford, 2018, p. 207.
11. Airenti, 2016.
12. Gibson, 2019, p. 124.
13. McGhee, 1971.
14. De La Taille, 2017.
15. Gibson, 2019, p. 127.
16. Gibson, 2019, p. 142-4.
17. Martin; Ford, 2018, p. 248.
18. Stanley; Lohani; Isaacowitz, 2014.
19. Clarck et al., 2016.
20. McGraw; Williams; Warren, 2014.
21. Wiseman, 2008.
22. Wiseman, 2008, p. 210.
23. Meadowcroft; Zillmann, 1987.
24. McGraw; Warner, 2014, p. 53.
25. Pereira, 2012, p. 24.
26. Pereira, 2012, p. 31.
27. Lefcourt et al., 1995.
28. Eagleton, 2020, p. 49.

Parte 3 - Sociedade
Onde rimos

1. Chaplin, 1965.
2. Frankl, 2013, p. 63.
3. Ostrower, 2015.
4. Ostrower, 2015.
5. Ostrower, 2013.
6. De La Taille, 2017.
7. Ritz; Lee, 1995.
8. McGhee, 2010a, p. 94-5.
9. Ritz; Lee, 1995.
10. MacGraw; Warner, 2014, p. 186.
11. McGhee, 2010a, p. 202-5.
12. Romunstad et al., 2016.
13. McGhee, 2010a, p. 252, 255.
14. Francis; Monahan; Berger, 1999.
15. Christie; Moore, 2005.
16. Roussi et al., 2007.
17. Dowling; Hockenberry; Gregory, 2003.
18. Francis; Monahan; Berger, 1999.
19. Ritz; Lee, 1995.
20. Kurtzberg; Naquin; Belkin, 2009.
21. Bitterly; Brooks; Schweitzer, 2017.
22. Aaker; Bagdonas, 2020, p. 16.
23. Decker, 1987.
24. Lehmann-Willenbrock; Allen, 2014.
25. Ho, 2016.
26. Van Den Broeck et al., 2012.
27. Duncker, 1945.
28. Isen; Daubman; Nowicki, 1987.
29. Von Oech, 1994, p. 90.
30. McGraw; Warner, 2014, p. 50.
31. Nerhardt, 1970.
32. Ziv, 1988.

Quem, de quem e com quem se ri

1. Provine, 2000, p. 28.
2. Waal, 2021, p. 90.
3. Provine, 2000, p. 29-30.
4. Haines et al., 2020.
5. Provine, 2000, p. 34.
6. Wilbur; Campbell, 2011.
7. Lippa, 2007.
8. McGee; Shevlin, 2009.
9. Gueguen, 2010.
10. Greengross; Miller, 2011.
11. Bian; Leslie; Cimpian, 2017.
12. McGhee, 2010a, p. 68.
13. Berger, 2017, pp. 132-3.
14. Aaker; Bagdonas, 2020, p. 16.
15. Orwell, 1945.
16. Bergson, 2007, p. 13.
17. Barreto, 2016.
18. Discurso de posse de Humberto de Campos na Academia Brasileira de Letras, disponível em <bit.ly/3AVjP4Q>, acesso em 18 abr. 2022.
19. Eagleton, 2020, p. 83.
20. Pereira, 2012, p. 53-4.
21. Bergson, 2007, p. 38.
22. Saliba, 2020, p. 35.
23. De La Taille, 2017.
24. Frye, 2006, p. 209.
25. Chesterton, 1915.
26. Maio; Olson; Bush, 1997.
27. Thomae; Viki, 2013.
28. Ford et al., 2007.
29. Saucier et al., 2018.
30. Novembre; Zanon; Silani, 2015.
31. McGraw; Warner, 2014, p. 99.
32. Marciniak, 2014.
33. Bremmer; Roodenburg, 2000, p. 36.

34 Weaver, 2014.
35 Lustosa, 2011, p. 265-6.
36 McGraw; Warner, 2014, p. 97.

Conclusão

1   Comte-Sponville, 2009, p. 229.
2   Eagleton, 2020, p. 104-5.
3   Oz, 2015.
4   Lorenz, 2005, p. 286.
5   Berger, 2017, p. 347.
6   Berger, 2017, p. 341.
7   Berger, 2017, p. 356.
8   Pereira, 2012, p. 110.
9   Keltner; Bonanno, 1997.
10 Quintana, 1999, p. 38.

Referências bibliográficas

AAKER, J.; BAGDONAS, N. *Humor, seriously.* Nova York: Currency, 2020.

ACADEMIA BRASILEIRA DE LETRAS. *Discursos acadêmicos: 1920-1935.* Rio de Janeiro: Publicações da ABL, 2006.

AIRENTI, G. "Playing with expectations: A contextual view of humor development". *Frontiers in Psychology*, v. 7, 2016.

ALLEN, W. *Woody Allen: A autobiografia.* 1. ed. Rio de Janeiro: Globo Livros, 2020.

ALVORD, L.; VAN PELT, E.C. *The Scalpel and the Silver Bear.* Nova York: Bantam, 1999.

ARCHAKIS, A. et al. "The Prosodic Framing of Humour in Conversational Narratives: Evidence from Greek Data". *Journal of Greek Linguistics*, v. 10, p. 187-212, 2010.

ARISTÓTELES. *Poética.* Prefácio de Maria Helena da Rocha Pereira. Tradução e notas de Ana Maria Valente. Lisboa: Calouste Gulbenkian, 2004.

ATTARDO, S.; PICKERING, L. "Timing in the performance of jokes". HUMOR – *Int J Humor Res*, v. 24, n. 2, p. 233-50, 2011.

BARRETO, L. *Sátiras e outras subversões*. Felipe Botelho Corrêa (org.). São Paulo: Companhia das Letras, 2016.

BEERMANN, U. *Humor styles*. Texas A&M University, 2014. (Nota técnica.)

BERGER, P. L. *O riso redentor: A dimensão cômica da experiência humana*. Petrópolis: Vozes, 2017.

BERGSON, H. *O riso: Ensaio sobre a significação da comicidade*. São Paulo: Martins Fontes, 2007.

BIAN, L.; LESLIE, S. J.; CIMPIAN, A. "Gender stereotypes about intellectual ability emerge early and influence children's interests". *Science*, v. 355, n. 6326, p. 389-91, 2017.

BITTERLY, T. B.; BROOKS, A. W.; SCHWEITZER, M. E. "Risky business: When humor increases and decreases status". *Journal of Personality and Social Psychology*, v. 112, n. 3, p. 431-55, 2017.

BREMMER, J.; ROODENBURG, H. (orgs.). *Uma história cultural do humor*. Rio de Janeiro: Record, 2000.

CARTER, J. *The NEW Comedy Bible: The Ultimate Guide to Writing and Performing Stand-Up Comedy*. Oceanside: Indie Books International, 2020.

CHAPLIN, C. *História da minha vida*. Rio de Janeiro: José Olympio, 1965.

CHARLES, L. *Larry Charles' Dangerous World of Comedy*, Netflix, 2019.

CHESTERTON, G. K. *All things considered*. [s.l.] Projeto Gutenberg, 1915. (Ed. bras.: *Considerando todas as coisas*. Campinas: Ecclesiae, 2013.)

CHRISTIE, W.; MOORE, C. "The impact of humor on patients with cancer". *Clin J Oncol Nurs*, v. 9, n. 2, p. 211-8, 2005.

CLARCK, C. N. et al. "Altered sense of humor in dementia". *J Alzheimers Dis*, v. 49, n. 1, p. 111-9, 2016.

COMTE-SPONVILLE, A. *Pequeno tratado das grandes virtudes*. São Paulo: WMF Martins Fontes, 2009.

DE LA TAILLE, Y. *Humor e tristeza: O direito de rir*. Rio de Janeiro: Papirus, 2017.

DECKER, W. H. "Managerial Humor and Subordinate Satisfaction". *Social Behavior and Personality*, v. 15, n. 2, p. 225-32, 1987.

DECKERS, L.; CARR, D. E. "Cartoons varying in low-level pain ratings, not aggression ratings, correlate positively with funniness ratings". *Motivation and Emotion*, v. 10, p. 207-16, 1986.

DIGBY, R. et al. "Foix-Chavany-Marie syndrome secondary to bilateral traumatic operculum injury". *Acta Neurochir* (Wien), v. 160, n. 12, p. 2.303-5, 2018.

DOWLING, J. S.; HOCKENBERRY, M.; GREGORY, R. L. "Sense of Humor, Childhood Cancer Stressors, and Outcomes of Psychosocial Adjustment, Immune Function, and Infection". *Journal of Pediatric Oncology Nursing*, v. 20, n. 6, p. 271-92, 2003.

DUNCKER, K. "On Problem-solving". *Psychological Monographs*, v. 58, n. 5, 1945.

EAGLETON, T. *Humor – O papel fundamental do riso na cultura*. Rio de Janeiro: Record, 2020.

EDUARDO, C.; FERNANDES, N. "A imagem da hora". *Época*, n. 226, 2002.

EKMAN, P.; DAVIDSON, R.; FRIESEN, W. "The Duchenne Smile: Emotional Expression and Brain Physiology II". *J Pers Soc Psychol*, v. 58, n. 2, p. 342-53, 1990.

FORD, T. et al. "More Than 'Just a Joke': The Prejudice-Releasing Function of Sexist Humor". *Personality and Social Psychology Bulletin*, v. 34, n. 2, p. 159-70, 2007.

FOWLER, J. H.; CHRISTAKIS, N. A. "Dynamic spread of happiness in a large social network: longitudinal analysis over 20 years in the Framingham Heart Study". *BMJ*, 2008.

FRALEY, B.; ARON, A. "The effect of a shared humorous experience on closeness in initial encounters". *Personal Relationships*, n. 11, p. 61-78, 2004.

FRANCIS, L.; MONAHAN, K.; BERGER, C. "A Laughing Matter? The Uses of Humor in Medical Interactions". *Motivation and Emotion*, v. 23, p. 155-74, 1999.

FRANKL, V. *Em busca de sentido: Um psicólogo no campo de concentração*. Petrópolis: Vozes, 2013.

FREDRICKSON, B. L. "The broaden-and-build theory of positive emotions". *Phil. Trans. R. Soc. Lond*, n. 359, p. 1.367-77, 2004.

FREUD, S. *Os chistes e a sua relação com o inconsciente (1905)*. Edição Standard Brasileira das Obras Psicológicas Completas de Sigmund Freud Volume VIII. Rio de Janeiro: Imago, 2006.

FRIDLUND, A. J. et al. "Audience effects on solitary faces during imagery: Displaying to the people in your head". *Journal of Nonverbal Behavior*, v. 14, p. 113-37, 1990.

FRYE, N. *Anatomy of Criticism Four Essays*. Toronto: University of Toronto Press, 2006. (Ed. bras.: *Anatomia da crítica – Quatro ensaios*. São Paulo: É Realizações, 2014.)

GELLER, J.; DAVIS, S. D.; PETERSON, D. J. "Sans Forgetica is not desirable for learning". *Memory*, v. 28, n. 8, p. 957-67, 2020.

GERVAIS, M.; WILSON, D. S. "The evolution and functions of laughter and humor: a synthetic approach". *The Quarterly Review of Biology*, v. 80, n. 4, p. 395-430, dez. 2005.

GIBSON, J. M. *An Introduction to the Psychology of Humor*. Nova York: Routledge, 2019.

GREENGROSS, G.; MILLER, G. "Humor ability reveals intelligence, predicts mating success, and is higher in males". *Intelligence*, v. 39, n. 4, p. 188-92, 2011.

GUEGUEN, N. "Men's sense of humor and women's responses to courtship solicitations: An experimental field study". *Psychological Reports*, v. 107, p. 145-56, 2010.

HAINES, C. D. et al. "The role of diversity in science: a case study of women advancing female birdsong research". *Animal Behaviour*, v. 168, p. 19-24, 2020.

HO, S. K. "Relationships among humour, self-esteem, and social support to burnout in school teachers". *Soc Psychol Educ*, v. 19, p. 41-59, 2016.

ISEN, A. D.; DAUBMAN, K. A.; NOWICKI, G. P. "Positive Affect Facilitates Creative Problem Solving". *Journal of Personality and Social Psychology*, v. 52, n. 6, p. 1.122-31, 1987.

JOHNSON, S. *De cabeça aberta – Conhecendo o cérebro para entender a personalidade humana*. Rio de Janeiro: Zahar, 2008.

JOHNSTON, W. "To the ones left behind". *Am J Nursing*, v. 85, p. 936, 1985.

KANT, I. *Critique of Judgement*. Tradução e introdução de Werner S. Pluhar. Indianapolis/Cambridge: Hackett Publishing Company, 1987. (Ed. bras.: *Crítica da faculdade de julgar*. Petrópolis: Vozes, 2017.)

KELTNER, D.; BONANNO, G. A. "A Study of Laughter and Dissociation: Distinct Correlates of Laughter and Smiling During Bereavement". *Journal of Personality and Social Psychology*, v. 73, n. 4, p. 687-702, 1997.

KRAUS, M. W.; CHEN, T.-W. D. "A Winning Smile? Smile Intensity, Physical Dominance, and Fighter Performance". *Emotion*, v. 13, n. 2, p. 270-9, 2013.

KRAUT, R. E.; JOHNSTON, R. E. "Social and Emotional Messages of Smiling". *J Personal and Soc Psychol*, v. 37, n. 9, p. 1.539-53, 1979.

KUANG-MING, W. *The Butterfly as Companion: Meditations on the First Three Chapters of the Chuang Tzu*. Nova York: State University of New York Press, 1990.

KURTZBERG, T. R.; NAQUIN, C. E.; BELKIN, L. Y. "Humor as a relationship-building tool in online negotiations". *International Journal of Conflict Management*, v. 20, n. 4, p. 377-97, 2009.

LAVAN, N. et al. "Impoverished encoding of speaker identity in spontaneous laughter". *Evolution and Human Behavior*, v. 39, p. 139-45, 2018.

LEFCOURT, H. et al. "Perspective-Taking Humor: Accounting for Stress Moderation". *Journal of Social and Clinical Psychology*, v. 14, n. 4, p. 373- 91, 1995.

LEHMANN-WILLENBROCK, N.; ALLEN, J. A. "How fun are your meetings? Investigating the relationship between humor patterns in team interactions and team performance". *Journal of Applied Psychology*, v. 6, n. 99, p. 1.278-87, 2014.

LIPPA, R. "The Preferred Traits of Mates in a Cross-National Study of Heterosexual and Homosexual Men and Women: An Examination of Biological and Cultural Influences". *Archives of Sexual Behavior*, v. 36, p. 193-208, 2007.

LIVINGSTONE, M. S. "Is it warm? Is it real? Or just low spatial frequency?" *Science*, v. 290, n. 5495, p. 1.299, 2000.

LORENZ, K. *On Aggression*. Londres: Routledge, 2005.

LUSTOSA, I. *Imprensa, humor e caricatura*. Belo Horizonte: Editora UFMG, 2011.

MAIO, G.; OLSON, J. M.; BUSH, J. E. "Telling Jokes That Disparage Social Groups: Effects on the Joke Teller's Stereotypes". *Journal of Applied Social Psychology*, v. 27, n. 22, p. 1.986-2.000, 1997.

MARANHÃO-FILHO, P. et al. "Paralisia facial: Quantos tipos clínicos você conhece?" Parte 1. *Rev. bras. neurol*, v. 49, n. 3, p. 85-92, 2013.

MARCINIAK, P. *Philogelos*. Texas A&M University, 2014. (Nota técnica.)

MARSILI, L.; RICCIARDI, L.; BOLOGNA, M. "Unraveling the asymmetry of Mona Lisa smile". *Cortex*, v. 120, p. 607-10, 2019.

MARTIN, R. et al. "Individual differences in uses of humor and their relation to psychological well-being: Development of the Humor Styles Questionnaire". *Journal of Research in Personality*, v. 37, n. 1, p. 48-75, 2003.

MARTIN, R. A.; FORD, T. "The psychology of humor: An integrative approach". [s.l.] *Elsevier Science*, 2018.

MCCOMAS, H. C. "The origin of laughter". *Psychologycal Review*, v. 30, p. 45-55, 1923.

MCGEE, E.; SHEVLIN, M. "Effect of humor on interpersonal attraction and mate selection". *J Psychol.*, v. 143, n. 1, p. 67-77, 2009.

MCGHEE, P. "Cognitive development and children's comprehension of humor". *Child Development*, v. 42, p. 123-38, 1971.

_____. "Humor: The Lighter Path to Resilience and Health". [s.l.] AuthorHouse. Edição Kindle, 2010a.

_____. "Humor as Survival Training for a Stressed-Out World: The 7 Humor Habits Program". [s.l.] AuthorHouse. Edição Kindle, 2010b.

MCGRAW AP, WARREN C. "Benign violations: making immoral behavior funny". *Psychological Science.* Aug; 21(8), p. 1.141-9, 2010.

MCGRAW, P. et al. "Too Close for Comfort, or Too Far to Care? Finding Humor in Distant Tragedies and Close Mishaps". *Association for Psychological Science,* v. 25, p. 1.215-23, 2012.

MCGRAW, P.; WARNER, J. *The Humor Code: A Global Search for What Makes Things Funny.* Nova York: Simon & Schuster, 2014.

MCGRAW, P.; WILLIAMS, L. E.; WARREN, C. "The Rise and Fall of Humor: Psychological Distance Modulates Humorous Responses to Tragedy". *Social Psychological and Personality Science,* v. 5, n. 5, p. 566-72, 2014.

MEADOWCROFT, J. M.; ZILLMANN, D. "Women's comedy preferences during the menstrual cycle". *Communication Research,* v. 14, n. 2, p. 204-18, 1987.

NERHARDT, G. "Humor and inclination to laugh – emotional reactions to stimuli of different divergence from a range of expectancy". *Scandinavian Journal of Psychology,* n. 11, p. 185-95, 1970.

NOVEMBRE, G.; ZANON, M.; SILANI, G. "Empathy for social exclusion involves the sensory-discriminative component of pain: a within-subject fMRI study". *Soc Cogn Affect Neurosci.,* v. 10, n. 2, p. 153-64, 2015.

O'CONNELL, C. "Why animals play". *Scientific American,* v. 325, n. 2, p. 46-50, 2021.

ORWELL, G. "Funny, but not Vulgar". Publicado originalmente em Leader, Londres, 28 jul. 1945.

O'QUIN, K.; ARONOFF, J. "Humor as a technique of social influence". *Social Psychology Quarterly,* v. 44, n. 4, p. 349-57, 1981.

OSTROWER, C. "Humor as a Defense Mechanism in the Holocaust". International Conference on Humour: Texts, Contexts. Anais... India: Trivandrum University, Kerala, 2013.

OSTROWER, C. "Humor as a Defense Mechanism during the Holocaust". *Interpretation,* v. 69, n. 2, p. 183-95, 2015.

Oxford Word of the Year 2015 | Oxford Languages. Disponível em: <languages.oup.com/word-of-the-year/2015/>. Acesso em 9 nov. 2021.

OZ, A. *Como curar um fanático*. 1. ed. São Paulo: Companhia das Letras, 2015.

PELLEY, R. "Amy Poehler: 'Parks and Rec is one of those comedies people medicate with.'" *The Guardian*, 10 mar. 2022.

PEREIRA, R. A. *A doença, o sofrimento e a morte entram num bar – Uma espécie de manual de escrita humorística*. Rio de Janeiro: Tinta da China, 2012.

PROVINE, R. *Curious Behavior – Yawning, Laughing, Hiccupping and Beyond*. Londres: The Belknap press of Harvard University press, 2012.

_____. *Laughter: A Scientific Investigation*. Nova York: Penguin Books, 2000.

QUINTANA, M. *Antologia poética*. Porto Alegre: L&PM, 1999.

RAMACHANDRAN, V. S. "The Evolutionary Biology of Self-Deception, Laughter, Dreaming and Depression: Some Clues from Anosognosia". *Medical Hypotheses*, n. 47, p. 347-62, 1996.

_____. "The neurology and evolution of humor, laughter, and smiling: The false alarm theory". *Medical Hypotheses*, v. 51, p. 351-4, 1998.

RITZ, S.; LEE, M. "AJN Interview: Sandy Ritz". *The American Journal of Nursing*, v. 95, n. 8, p. 39-41, 1995.

ROECKELEIN, J. E. *Hobbesian Theory*. Texas A&M University: Attardo, S., 2014. (Nota técnica.)

ROMUNSTAD, S. et al. "15-Year Follow-Up Study of Sense of Humor and Causes of Mortality". *Psychosomatic Medicine*, v. 78, n. 3, p. 345-53, 2016.

ROTTON, J.; SHATS, M. "Effects of State Humor, Expectancies, and Choice on Postsurgical Mood and Self-Medication: A Field Experiment". *Journal of Applied Social Psychology*, v. 26, n. 20, p. 1.775-94, 1996.

ROUSSI, P. et al. "Patterns of coping, flexibility in coping and psychological distress in women diagnosed with breast cancer". *Cognitive Therapy and Research*, v. 31, n. 1, p. 97-109, 2007.

RYCHLOWSKA, M. et al. "Functional Smiles: Tools for Love, Sympathy, and War". *Psychological Science*, p. 1.259-70, 2017.

SALIBA, E. T. *Crocodilos satíricos e humoristas involuntários*. 1. ed. São Paulo: Intermeios, 2020.

SAUCIER, D. A. et al. "'What do you call a Black guy who flies a plane?': The effects and understanding of disparagement and confrontational racial humor". *Humor: International Journal of Humor Research*, v. 31, n. 1, p. 105-28, 2018.

SCOTT, S. K. et al. "The social life of laughter". *Trends in Cognitive Sciences*, v. 18, n. 12, p. 618-20, 2014.

SEBE, N. "Software Decodes Mona Lisa's Enigmatic Smile". *New Scientist*, v. 16, 2005.

SILVERTOWN, J. *Comedy of Errors: Why evolution made us laugh*. Londres: Scribe Publications Pty Limited, 2020.

SPENCER, H. *The Physiology of Laughter*. [s.l: s.n.], 1860.

STANLEY, J. T.; LOHANI, M.; ISAACOWITZ, D. M. "Age-Related Differences in Judgments of Inappropriate Behavior Are Related to Humor Style Preferences". *Psychology and Aging*, v. 29, n. 3, p. 528-41, 2014.

STROHMINGER, N. *Arousal Theory* (Berlyne). Texas A&M University, 2014. (Nota técnica.)

THOMAE, M.; VIKI, G. T. "Why did the woman cross the road? The effect of sexist humor on men's rape proclivity". *Journal of Social, Evolutionary, and Cultural Psychology*, v. 7, n. 3, p. 250-69, 2013.

TIK, M. et al. "Ultra-high-field fMRI insights on insight: Neural correlates of the Aha!-moment". *Hum Brain Mapp*, v. 8, n. 39, p. 3.241-52, 2018.

TROTTA, L. F. D. O arquivo pessoal de Leon Eliachar: *Uma análise tipológica dos documentos de um escritor*. Dissertação de mestrado. Rio de Janeiro: Universidade do Estado do Rio de Janeiro, 2016.

VAN DEN BROECK, A. et al. "This is funny: On the beneficial role of self-enhancing and affiliative humour in job design". *Psicothema*, v. 24, n. 1, p. 87-93, 2012.

VEATCH, T. "A theory of humor". *Humor: International Journal of Humor Research*, v. 11, n. 2, p. 161-215, 1998.

VIEIRA, A.; CATTANEO, G. *As lágrimas de Heráclito*. [s.l.] Editora 34, 2001.

VIEIRA, A. *Sermões*. Vol 2. Editora Hedra, 2001.

VON OECH, R. *Um chute na rotina*. São Paulo: Cultura Editores Associados, 1994.

WAAL, F. de. *O último abraço da matriarca – As emoções dos animais e o que elas revelam sobre nós*. Rio de Janeiro: Zahar, 2021.

WEAVER, S. *Ethnic jokes*. Texas A&M University, 2014. (Nota técnica.)

WILBUR, C. J.; CAMPBELL, L. "Humor in Romantic Contexts: Do Men Participate and Women Evaluate?" *Personality and Social Psychology Bulletin*, v. 37, n. 7, p. 918-29, 2011.

WISEMAN, R. *Esquisitologia – A estranha psicologia da vida cotidiana*. Rio de Janeiro: BestSeller, 2008.

YOVETICH, N. A.; DALE, J. A.; HUDAK, M. A. "Benefits of humor in reduction of threat-induced anxiety". *Psychol Rep*, v. 66, n. 1, p. 51-8, 1990.

ZIV, A. "Teaching and Learning with Humor: Experiment and Replication". *Journal of Experimental Education*, v. 57, n. 1, 1988.

ZWEYER, K.; VELKER, B.; RUCH, W. "Do cheerfulness, exhilaration, and humor production moderate pain tolerance? A FACS study". *Humor: International Journal of Humor Research*, v. 17, n. 1-2, p. 85-119, 2004.

Índice

A

Aaker, Jennifer, divisão do humor em níveis, 49
Academia Brasileira de Letras, 167
adrenalina, 84, 89
agelasta ("ausência de riso"), 185
Albasheer, Ahmed, uso de humor enquanto em cativeiro, 81-2, 101-5
alegria, 27-8, 85, 89, 91, 97, 179
↳ falsa, expressão da, 33
↳ verdadeira, expressão da, 30, 33-4
↳ *ver também* Duchenne, sorriso de
alfabetização, 117
alívio, teoria do, 60-3, 73
alívio cômico, 126-7
alívio da tensão *ver* tensão, alívio da, riso e,
Allen, Woody, 12
Alves, Rubem, 22
Alvord, Lori Arviso, 114
Alzheimer, humor em pacientes com, 121
ameaça, sensação de, 70-1, 73, 77, 83-6, 103, 122
American Journal of Nursing, 13
amígdala cerebral, 77
amigos, nível de felicidade entre, 10, 89, 93, 124, 135
analgesia do riso, 43

anasirma, 185
animais:
↳ brincadeiras entre os, 86-8
↳ eletricidade animal, 31
↳ formação de vínculos sociais, 86-8
↳ risos provocados por, 74
↳ sinais de alerta de, 82, 84
Ansari, Aziz, 153
ansiedade, 15, 23, 30, 66, 124, 126, 176
↳ fuga e, 85
↳ riso na redução da, 103-4, 126-7, 142, 144, 177
ansiedade coletiva, piadas para expressar a, 169-70
Antiguidade Clássica, 19
Aristófanes, 55
Aristóteles, 19, 54, 70
↳ *eutrapelia* como uma virtude, 55-6
↳ mérito no riso, 54-5
↳ teoria da superioridade, 54-6, 64-5, 73, 101
arte, sorriso representado na, 27-30
Associação Britânica para o Avanço da Ciência, iniciativa para a popularização da ciência, 124
atenção, 10, 83-6, 90-1, 101, 112, 115, 125, 151-4, 169, 179, 186
autoestima, 46
autoimportância, senso de, 128
autoritarismo, humor e, 167-8

B

Bagdonas, Naomi, divisão do humor em níveis, 49
Barreto, Lima, 167
BBC, 159
Bem Estar, programa de TV, 141, 187
bem-estar, 22, 42, 59, 138
 ↳ na resolução de jogos e puzzles, 91
bem-estar emocional, 45, 51
Benjamin, H. J., 153
Berger, Peter L., 48, 66, 164, 182-3
 ↳ cômico *vs.* lúdico, 23
 ↳ cultura cômica, 163-4, 182-3
 ↳ sobre a risada, 183
Bergson, Henri, 19, 70, 101, 169
 ↳ análise do humor, 64-7, 166
 ↳ impossibilidade de emoção e risada coexistirem, 64-5
Berlyne, Daniel, sobre o humor, 63-4
Bíblia, 51
Big Bang, 12
boliche, estudo sobre o riso entre os jogadores de, 93
Bonanno, George, 184
bonobos, 87, 95
 ↳ *ver também* primatas
Boulder, EUA, 69-70
Breton, André, *humour noir*, 138-9
brincadeiras, 23, 73, 82, 85-6, 95-7, 101-2, 114-5, 121, 162
brincadeiras no reino animal, 86-8, 94-5, 100
 ↳ locomoção, 86
 ↳ objetais, 86
 ↳ sociais, 87
brinquedo, definição, 22
 ↳ ferramenta e, 22-3, 50
bufonaria, 55-6, 185

burnout:
 ↳ estudo com profissionais afetados pelo, 149
 ↳ humor como ferramenta para prevenir o, 146, 149

C

cães, brincadeiras entre os, 86-8
campos de concentração, humor nos, 14, 133-41
campos de extermínio, humor nos, 135
Campos, Humberto de, sobre a sátira, 167
câncer de mama, 65, 141
 ↳ humor em tratamento de, 143-6
cão dos Baskerville, O (Conan-Doyle), 53
capacidades cognitivas, 137
 ↳ declínio das, 119-21
 ↳ evolução das, 98, 108, 115-8, 162
 ↳ reavaliação das, 128
Caribe, temporada de furacões no, 122
Carter, Judy, 110, 112
cartoons, avaliação de humor nos, 72
Castigat ridendo mores, adágio latino, 67
Castro, Nana Vaz de, 18
catação, 96
"catação vocal", teoria da, riso na, 96
catástrofes, humor como instrumento terapêutico, 139-40
catolicismo, 53, 172
Cattaneo, padre Girolamo, debate sobre o humor, 12
células *natural killer* (glóbulos brancos), risada e, 142
cérebro, 19-22, 108, 114-5, 152
 ↳ cócegas no, 99-105
 ↳ despertado pela novidade, 83-6
 ↳ regiões do, 75-8, 91-2, 120-1, 175

Chaplin, Charles, 133, 168
charges, 117-8
↳ avaliação de, 129
Chaves (1973-1980), 72
Chesterton, G. K., 172
chimpanzés, 94-5, 104
↳ tentam esconder o riso, 36
↳ *ver também* primatas
chistes
↳ *ver* piada(s)
chistes e a sua relação com o inconsciente, Os (Freud), 37, 61, 64
choques elétricos, experimentos com, 32-4, 103
choro, 11-2, 28, 88-9, 115
↳ chorar de soluçar (*sobbing*), 38
↳ derramar lágrimas (*crying*), 38
↳ poder de inquietar, 113
↳ relevância em um grupo social, 89
ciclos de piadas, 177-8
Cidade de Deus (2002), 98
ciência translacional, 144
cinismo, 47, 130
Cinquenta tons de cinza (James), 54
cócega da mente, 100-5
cócegas, riso como reflexo das, 94, 96-7
comédia, 16-7, 43, 68, 81, 97, 122, 126, 130, 147, 158, 168-9
↳ base da, como imitação de defeito *risível*, 54-5
↳ diálogo com o terror, em filmes, 63-4
↳ função da, 49
↳ humor e, 49-52
↳ significado original, 50
↳ teoria sobre, 54-6
↳ *timing* da, 21, 109-12
↳ tornar a plateia "insensível", 65
comédia pastelão, 57, 72
↳ preferência por pacientes com Alzheimer, 121

comédia romântica, 155
comédia *stand-up*, 65, 111, 136, 158
comediantes, 21, 46, 50-1, 58, 65, 70, 81, 92-3, 103, 109-13, 127-8, 147, 151, 153, 166-7, 183
↳ importância em distanciar o ouvinte da situação apresentada, 70-2
comediantes de improvisos, 110
↳ disputa de criatividade com designers, 151
↳ *ver também* comédia *stand-up*, comediantes
comicidade/cômico, 11, 23, 48, 60, 64-5, 169, 183
↳ *ver também* alívio cômico
compensação, 13, 130
Comte-Sponville, André, 46, 179-80
comunicação, 113, 138, 140-1, 149
↳ estar atento ao outro, 111-2
↳ riso como, 39, 42, 89
condição humana, colocada em perspectiva, 129
conexão, estudos com universitários, 101-2
Confissões (Santo Agostinho), 107
congruência cognitiva, hipótese da, 121
Connery, Sean, 53
consciência, 61, 77-8, 179
contato social, risos e, 93
Copa do Mundo de 2014, Brasil x Alemanha, 109, 178
coragem, 55
↳ como virtude, 179-80
córtex auditivo, 77
córtex motor, 77
córtex pré-frontal, 78
córtex sensório-motor, 77
cortisol, diminuído pela risada, 103
Coser, Rose, 157-8

covid-19, 11, 14-7, 42
↳ pós-pandemia, 18
crianças, 28, 113-8, 138, 176, 179
↳ contexto lúdico, 63, 115
↳ identificação do elemento incongruente, 115-8
↳ imitação, 115-6
↳ humor escatológico das, 21, 124
↳ humor nas, 108, 115-7, 121-2, 162
↳ mudanças cognitivas, 117-8
↳ senso de humor quando em tratamento, 143, 145
crises, humor em períodos de, 11, 139
Cristina da Suécia, rainha, debate sobre o humor, 12
Crítica da faculdade de julgar (Kant), 57-8
cultura cômica, 163-4

D

Da Vinci, Leonardo, 27-30, 33
Dalí, Salvador, 27
Darwin, Charles, 32, 87, 100
Davies, Christie, 170, 175-7
Davila-Ross, Marina, 95
De La Taille, Yves de, 13, 117-8
↳ sobre a dignidade, 171
↳ sobre o humor, 130, 139, 171
De Waal, Frans de, 30, 36, 104, 156
declínio cognitivo, 119-21
defeito *risível* (ou *ridículo*), 54-5
del Giocondo, Francesco, 27
demência, humor e, 120-1
democracias, importância do humor nas, 167-8
Demócrito, "o filósofo que ria", 12-3
Descartes, René, 56
desenvolvimento cognitivo, 98, 108, 115-8, 162

diabo riu por último, O (1953), 107
Dicionário Oxford, emoji eleito a palavra do ano, 41
direitos das mulheres, 173
discriminação, humor e, 170-3
distanciamento afetivo, técnicas de, 70-1, 127-8, 135, 145
ditaduras, intolerância ao humor nas, 168
diversão, 12, 22, 30, 34, 47, 55, 93, 138, 166
↳ *ver também* brincadeiras
Divertidamente (2015), 17
Doctor's Dilemma, The (Shaw), 14
doenças infecciosas, humor e, 143
dopamina, descarga de, 91, 152
Douglas, Mary, 74
Duchenne, sorriso de, 33-4, 77, 97
↳ dado pelos bebês, 114
↳ estudo sobre o luto e, 184
↳ *ver também* não Duchenne, sorriso de
Duchenne de Boulogne, Guillaume-Benjamin-Amand, 31-5, 78
↳ como um dos fundadores da neurologia, 31
↳ estudo sobre nervos e músculos humanos, 31-5
↳ sorriso sincero *vs.* sorriso forçado, 31-5
↳ *ver também* Duchenne, sorriso de; não Duchenne, sorriso de
Dunbar, Robin, teoria da "catação vocal", 96

E

Eagleton, Terry, 36, 50-1, 63, 130, 168, 180
Eco, Umberto, 53
educação, humor e, 21, 151-4

ego, 61
eletricidade, 31
Eliachar, Leon, definição de humor, 100
Em busca de sentido (Frankl), 134
emoções:
↳ afastamento das, 63-7
↳ negativas, 15, 43, 66, 85, 92, 124, 169, 184
↳ positivas, 22-3, 34, 43, 85, 91, 145, 184
emoji 😂 (chorando de rir), eleito a "palavra do ano", 41
empatia, 16, 99, 164
empresas, uso de humor em, 21, 147-9
endorfinas, 96
enigmas, testes com resolução de, 90-1
↳ "o prazer do aha!", 91
entretenimento, indústria do, risos e, 10, 92-3, 170
envelhecimento, senso de humor e, 108, 119-20, 124, 126
erros, 101, 109, 113, 116, 152-3, 165, 166
esperança, humor e, 15, 17, 51, 134, 140, 182
espírito amistoso, humor e, 94
espirituosidade, 55, 180
Estadão, 11, 17
estereótipos negativos, humor discriminatório e, 170-3
estímulos sensoriais e mentais, 20, 59-60, 75-8, 83, 95-7, 115, 150, 152
estresse, humor eficaz na redução do, 22, 50, 66, 85, 103-4, 124, 142, 145-6, 149, 169, 175
estupro *ver* sexo sem consentimento
Ética a Nicômaco (Aristóteles), 55-6

ética aristotélica, 55-6
eutrapelia, definição, 55-6
evolução, 15, 20, 85, 114, 118, 157
↳ atividades prazerosas e, 86-9, 90, 100-1
excitação, teoria da (Berlyne), 63-7
exclusão, situações de, causada pelo humor, 174-5
existencialismo, 17, 130
expectativas:
↳ Kant sobre, 58
↳ quebra de, 68-77, 84, 90, 101, 109, 115-8, 122-3, 130, 136, 173-4, 180
↳ *ver também* violação benigna, teoria da
expressão das emoções no homem e nos animais, A (Darwin), 32, 87, 100
expressões faciais, estudos sobre as, 28-35, 87-9, 94-5, 105
extremismo, raízes do, 180-1

F

fala, mecanismo do riso e da, 38-43
fanatismo, senso de humor e, 180-2
Far Side, The (Larson), 129
faz de conta, brincadeira feita pelos primatas, 86-9
fé, humor e, 172, 183
felicidade, estudo sobre o nível de, entre amigos, 89, 96-7
Ferguson, Mark A., teoria da norma preconceituosa, 172-5
ferramenta, definição, 22
↳ brinquedo e, 22-3, 50
Fignin, Yehuda, 135
filosofia, para compreensão do humor e do riso, 12, 19-20, 36, 46, 50, 54-6, 57-9, 60, 64-6, 68, 75, 78, 104-5, 130, 166, 179-80

fisiologia animal, eletricidade e, 31
Foix-Chavany-Marie, síndrome de, 78
fonte gráfica, uso específico para determinadas mensagens, 83-4
Ford, Thomas E., teoria da norma preconceituosa, 172-5
Frankl, Viktor, humor como ferramenta durante o Holocausto, 14-5, 134-5
Fredrickson, Barbara, 85
Freud, Sigmund, 37, 72, 101, 138
↳ ego, 61
↳ *gallows humor*, 138
↳ id, 61
↳ sobre as piadas, 60-4
↳ sublimação, 61
↳ superego, 61
↳ teoria do alívio e, 60-4
frivolidade, 66
Frye, Northrop, 171
fuga ou luta, reações de, 60, 85
furacão Sandy, 122-3

G

gallows humor, 138
Galvani, Luigi, 31
gânglios, 77, 91
gargalhada, 9, 37, 63, 92, 137, 184
↳ benefícios da, 21-2
↳ inadequação de uma, 36
↳ mecanismos por traz da, 78
↳ *ver também* humor; piada(s); risada(s)/riso(s); sorriso(s)
Gary, Romain, 130
GDLK (2020), 72
gênero, questões de, 172
↳ comédia e, 158
↳ estudo sobre risada e, 21, 156, 158-9
generosidade, como virtude, 55, 179
giocondo (jocoso), etimologia, 27

gorilas *ver* primatas
Gosall, Gurpal, vencedor da piada mais engraçada do mundo, 125
graça, possibilidade da, em momentos de tragédia, 135
grande ditador, O (1940), 133-4, 168
↳ imitação como genialidade, 168
gravitas, espirituosidade como arma contra a, 180
gregos, 44, 50, 184-5
guetos, humor nos, 135
Gustavo, Paulo, sobre o humor e o riso, 17-8

H

happy hour, 21
Hebe Camargo, 99
Helina, sobrevivente do Holocausto, piadas como forma de manter a mente alerta, 137-8, 139-40
hemisfério direito, papel ao ouvir uma piada, 76
hemisfério esquerdo, papel ao ouvir uma piada, 76
Heráclito, o "filósofo chorão", 12
hierarquia, riso como símbolo de, 21, 157-8
hipocampo, 91
hipotálamo, 77
Hitler, Adolf, humor como arma para desmoralizar, 133, 168
Hobbes, Thomas, 19, 56-7
↳ primeira teoria psicológica do riso, 56
Holocausto, 15, 133-40, 143-4, 183
Homo sapiens, 96
honra, 56, 180, 185
hospitais, impacto do humor em, 13-4, 21, 57, 141-6, 154, 157-8

humor, 10, 14, 17-22, 38, 43, 47-8, 50, 100, 104-5, 115, 123, 145, 152, 159, 179
  ↳ acidental, 45
  ↳ ambientes de trabalho e, 21, 147-9
  ↳ ambiguidade e, 28, 119
  ↳ aspectos do, 11, 19-21, 143, 165-6
  ↳ atenção e, 10, 49, 151-2, 153, 179
  ↳ avaliação do, 45, 71, 72, 123, 129, 143, 148-9, 161-2, 164
  ↳ bem-estar e, 22, 42, 59, 138
  ↳ benefícios do, 9, 21-2, 45, 103, 130, 144
  ↳ campanhas de conscientização e, 127
  ↳ classificação do, 45
  ↳ classificação do, segundo Schmidt-Hidding, 47
  ↳ comédia e, 48, 49-52
  ↳ como constante antropológica, 48
  ↳ como crítica, 22, 171
  ↳ como ferramenta útil, 23, 151
  ↳ como forma de encarar a realidade, 13, 59, 61, 183
  ↳ como inerente à condição humana, 47
  ↳ como instrumento de sobrevivência, 14, 81, 133-41
  ↳ como instrumento terapêutico, 141-6, 157, 181
  ↳ como mecanismo de defesa do ego, 61
  ↳ como necessário, 134
  ↳ como prazeroso, 23
  ↳ como uma forma de olhar o mundo, 47, 51-2, 59
  ↳ como virtude, 55, 59, 167, 179-80
  ↳ contexto histórico e social e, 11, 19, 48
  ↳ covid-19 e, 11, 14, 17
  ↳ debate sobre o, 11-3
  ↳ definições de, 49, 100
  ↳ dignidade e, 130, 166, 171
  ↳ envelhecimento e, 108, 119-20, 124, 126
  ↳ estabelece uma distância "entre nós e nós mesmos", 127-8
  ↳ estágios do, 118
  ↳ estilo de, 45-7, 74, 120, 149, 164-5, 181
  ↳ falta de, como uma das raízes do extremismo, 180-1
  ↳ fanatismo combatido pelo, 180-1
  ↳ frivolidade e, 66
  ↳ funções do, 40, 42, 49, 67, 89, 140, 166
  ↳ gênero e, 21, 156, 158-9, 161-3, 172
  ↳ impacto nos hospitais, 13-4, 21, 57, 141-6, 154, 157-8
  ↳ importância do tempo para o, 21, 107-8
  ↳ índice de adoecimento emocional e, 14
  ↳ indústria do entretenimento e, 10, 92-3, 170
  ↳ inteligência e, 10-1, 51-2, 55, 64, 130, 160, 161-4, 176-7
  ↳ interesse científico pelo, 9-11
  ↳ manifestação de, em ditaduras, 167-8
  ↳ matemático, 45, 117
  ↳ memória e, 44, 126, 151-2, 154, 179
  ↳ musical, 45
  ↳ no meio-tempo entre a bobagem próxima e a tragédia distante, 123
  ↳ percepção do, 69, 91, 108, 123, 167
  ↳ poder do, 10, 17, 22, 66, 82, 101-4, 107-8, 128, 147, 169, 174, 179-80, 182-4, 186
  ↳ política e, 82, 166-70
  ↳ potencial do, 9-10, 82, 144-6, 157, 179, 185
  ↳ prática cotidiana do, 51, 63-4, 66, 109-10, 112-3
  ↳ preferências de, de acordo com a idade, 118-22, 126

↳ primeiro uso relacionado ao prazer e divertimento, 44
↳ proposital, 38, 45, 49-50, 98, 118
↳ relacionamentos e, 22, 155, 159-61, 163, 186
↳ rir *com as* pessoas, 45
↳ rir *das* pessoas, 45
↳ rir do estado das coisas, 13
↳ risco de morrer por infecção e, estudo, 143
↳ semelhanças com a psicoterapia, 22
↳ significado original, 44
↳ simulação sobre contratação, 147
↳ situações adversas e, 12-6, 45-6, 130
↳ subversão do, 151
↳ tempo como importante no, 21, 107-8
↳ teoria da norma preconceituosa, 172-5
↳ teoria da superioridade e, 54-6, 64-5, 73, 101
↳ *timing*, 21, 109-13, 122
↳ uso para lidar com emoções, 63-7
↳ utilização por profissionais de saúde, 13-4, 139-41, 146, 183
↳ vai contra o consenso, 181-2
↳ valência emocional do, 45
↳ violações de normas sociais e, 120
humor, estilos de, 45-7, 120
↳ afiliativo (positivo), 45-6, 120, 149
↳ agressivo (negativo), 46, 74, 120, 164
↳ autodepreciativo (negativo), 46, 164-5, 181
↳ *self-enhancing* (positivo), 45-6, 120
humor, níveis do (Aaker e Bagdonas), 49
↳ analogia com atividades físicas, 49-50
↳ leveza, 49

humor, senso de, 20, 51, 119-20, 145, 148, 157, 160, 181
humor, teorias sobre o, 11, 18, 59, 75, 100
↳ teoria da excitação, 63-7
↳ teoria da incongruência, 57-60
↳ teoria da superioridade, 54-7, 101
↳ teoria da violação benigna, 68-75, 122, 165, 171
↳ teoria do alívio, 60-3, 73
Humor: The International Journal of Humor Studies, 69
humor ácido, 21, 74, 138
humor adaptativo, 45, 47
↳ *ver também* humor positivo
humor afiliativo, 45-6, 120, 149
humor agressivo, 46, 74, 120, 164
Humor as a Defense Mechanism in the Holocaust (Ostrower), 135-6
humor autodepreciativo, 46, 164-5, 181
humor como ferramenta didática, impacto nas notas finais, 154
humor de autodesenvolvimento (*self-enhancing*), 120
humor discriminatório, 172
"humor do sobrevivente" (Ritz), 139-41, 146
↳ como uma maneira de manter a esperança, 139
↳ etapas de adaptação, 140
humor escatológico, 21, 124
humor excêntrico, 65
humor existencial, 13, 130, 137
humor mal adaptativo, 45-47
humor moderno, linguagem e teoria da mente como bases do, 98-100
humor negativo, 45-7
↳ *ver também* humor mal adaptativo

humor *nonsense*, 47, 119-20, 137
humor pastelão, 57, 72, 97, 121
↳ das cavernas, 97, 100
humor politicamente incorreto, 170, 174, 176
humor positivo, 45-7, 89, 140, 149
humor pré-linguístico, 97
Humor Research Lab (Laboratório de Pesquisas em Humor), Universidade do Colorado, 69-70
humor satírico, 138, 167, 171
↳ dificuldade de apreensão por pacientes com demência, 121
humor terapêutico, 141-6, 157, 181
humour noir (humor negro), 138
Hutcheson, Francis, crítica à teoria da superioridade, 57

I

I Should Have Learned to Play the Piano (Benjamin), 153
ilusão, prevenida pelo humor, 180
imagem profissional, impacto do uso do humor na, 148
imunidade, risada e, 142
imunoglobulinas, concentração de, riso e, 142
incongruência, 47, 55, 75, 99-100, 116-20, 182-3
↳ teoria da, 57-60, 64, 73, 101
↳ papel do contexto na interpretação da, 153
indignação, sentimento de, provocado por piadas, 99, 171
infarto, como efeito de risadas, 9
inferioridade, 104
↳ riso e, 55-6, 157
Inquisição, 53
Instituto de Tecnologia de Massachusetts, disputa de criatividade entre comediantes e designers, 151
Instituto Real de Tecnologia de Melbourne, 83
inteligência, 181
↳ associação entre humor e, 10-1, 51-2, 55, 64, 130, 160, 161-4, 176-7
International Society for Humor Studies, 176
Iraque, guerra do, 81-2, 105
Irlanda, fome na, 138
ironia, 12, 42, 46-7, 56, 138, 147, 172, 173
↳ como arma (Comte-Sponville), 46
isolamento, 104
↳ *ver também* covid-19

J

Jeselnik, Anthony, 74
jocoso, etimologia, 27
Jogos vorazes (Collins), 54
jogos, brincadeiras feitas pelos primatas, 87
Johnson, Steven, sobre o sorriso, 104, 114
judeus, humor como instrumento de sobrevivência durante o Holocausto, 133, 136-7
↳ *ver também* Holocausto; campos de concentração, humor nos; guetos, humor nos
justiça, 87
↳ como virtude, 179

K

Kalinske, Tom, 72-3
Kant, Immanuel:
↳ sobre a expectativa, 58
↳ sobre o riso, 57-60

Karay, Felicja, 135
Keltner, Dacher, 184
Kierkegaard, Søren, 58
King, Stephen, 54

L

La Gioconda ver *Mona Lisa* (Da Vinci)
lado bom do lado ruim, O (Barros), 15, 18
Larry Charles' Dangerous World of Comedy (2019), 81
Larson, Gary, 129
laughlab.co.uk, site, 125
Laughter: A Scientific Investigation (Provine), 37
Lefcourt, Herbert, estudo sobre humor e mortalidade, 128-9
liderança:
 ↳ humor autodepreciativo e, 164-5
 ↳ humor e, 148
 ↳ posições de, 166, 168, 177
linguagem, 45, 76, 97
 ↳ como base do humor moderno, 98-9
 ↳ humor como, 38-43, 114-5, 117, 127
 ↳ televisiva, 92-3
lives, 16
Livingstone, Margaret, 28
Lorenz, Konrad, 182
lúdico, 23, 115
 ↳ *ver também* brincadeiras
Lustosa, Isabel, 177
luto, estudos sobre sorriso e, 184-5
 ↳ *ver também* mortalidade

M

macacos Rhesus, riso como símbolo de hierarquia, 157
 ↳ *ver também* primatas
machismo, 100, 172-4
 ↳ *ver também* gênero, questões de
mamíferos, 100
 ↳ *ver também* primatas
Maria, Antônio, 174
Martin, Steve, 103
máscara cômica, 55
matemática, vista como ferramenta, 22-3
McComas, Henry, C., 42
McGhee, Paul, 104, 118
McGraw, Peter:
 ↳ campanha sobre prevenção da gravidez na adolescência, 127
 ↳ teoria da violação benigna do humor e, 69-71, 122
Mécanisme de la physionomie humaine (Duchenne), 31-2
médicos, piadas contadas por, 157
Meirelles, Fernando, 98
memes, 108, 167
memória, humor e, 44, 126, 151-2, 154, 179
mente, teoria da, 98, 118
 ↳ como base do humor moderno, 98-9
militante político, rancor do, 180
MMA, estudos sobre as fotos de, 105
modelos mentais, troca de, na construção de uma piada, 74-5
Mona Lisa (Da Vinci), análise do sorriso da, 27-30, 33, 77
 ↳ como tendo um riso de desdém, 34
 ↳ *ver também* Duchenne, sorriso de; não Duchenne, sorriso de
Monty Python, grupo britânico de humor, 125
moralidade, piadas e, 48, 63, 69, 133, 138, 169, 171, 174, 182

mortalidade, 143, 184
  ↳ estudo sobre, 128-9
mudança de paradigma, piadas e, 76
mulheres:
  ↳ antes vistas como não engraçadas, 157-8
  ↳ estudos sobre escolhas de programas de TV e período pré--menstrual, 126-7
  ↳ piadas sobre, 99, 172-3, 177
  ↳ relação entre humor e gênero, 143, 145, 156, 162-3
  ↳ relacionamento e bom humor, 159-61
  ↳ *ver também* gênero, questões de
musculatura orofacial, domínio da, 97
músicas, 155, 170
  ↳ erros na, como diversão, 153
  ↳ humor e, 45

N

N+V, teoria de (Veatch), 69-70
não Duchenne, sorriso de, 34-5, 77, 97
negociação, 102, 147
nervosismo, 23, 28, 30, 98, 104
neurociência, 19, 21, 31, 75-8, 188
neurônios, 75-8, 86-7
neurotransmissor, 22, 152
New Bible of Comedy, The (Carter), 110
Nintendo, batalha com a Sega por mercado, 72
nojo, expressão do sentimento de, 29-30, 88-9
nome da rosa, O (Eco), 53, 54-5
nonsense, 47, 119-20, 137
norma preconceituosa, teoria da (Ford e Ferguson), 172-5
normas sociais, violações de, humor e, 120

Noruega, estudo sobre humor e infecção, 143
Notaro, Tig, 65
novidade, cérebro despertado pela, 83, 85, 91
nuvens, As (Aristófanes), 55

O

Oe, Kenzaburo, 181
Oech, Roger von, relação entre o "hahaha" do humor e o "aha!" da descoberta, 150
Onion, The, piada com o 11 de Setembro, 171
orangotangos, 84, 95
  ↳ *ver também* primatas
orbicular do olho, músculo, sentimento verdadeiro e, 32-3
orgasmo, resolução de jogos e, 91
orgulho, senso de humor e, 110, 182
Orwell, George, piada como uma pequena revolução, 165-6
Ostrower, Chaya, 135-6
ouvir as pessoas, importância nas comédias de improviso, 111-3
Oz, Amós, carta a Kenzaburo Oe, 181, 182

P

Palma de Ouro, X Salão Internacional de Humorismo, Itália, 100
paquera, humor e, 22, 155-6, 159, 161, 186
paralisia facial emocional, 78
Parks and Recreation (2009-2015), 17
Pascal, Blaise, 58
Patch Adams, humor como ferramenta terapêutica, 142

"pensar fora da caixa", origem da expressão, 149-50
Pequeno tratado sobre as virtudes (Comte-Sponville), 179-80
Pereira, Ricardo Araújo, 51-2, 58, 127-8
  ↳ humor como anestesia, 184
período pré-menstrual, estudos com mulheres em, 126-7
Perséfone, mito de, 184-5
pertencimento, sensação de, 104
pés de galinha, como expressão do riso sincero, 33
pessoas *com quem* rimos *vs.* pessoas *de quem* rimos, 155-8
Philogelos, mais antiga coleção de piadas, manuscrito grego, 175-6
piada(s), 10-3, 23, 32, 48-9, 56
  ↳ alusão de, 62
  ↳ análise pelo cérebro, 75-7
  ↳ avaliação emocional automática e inconsciente, 76-7
  ↳ busca pela mais engraçada do mundo, 124-6
  ↳ ciclos de, 177-8
  ↳ citação de, 68, 73-4, 76, 99, 110, 125, 129, 176
  ↳ conteúdos reprimidos, 62-3
  ↳ crianças e, 113-8
  ↳ desfechos óbvios e desfechos alternativos, 111
  ↳ discrepância entre o dito e o percebido, 62
  ↳ estrutura de, 61-2, 136, 169-70, 178
  ↳ estudo com jovens contando, 111-2
  ↳ estudo sobre a intensidade da violação, 70-1
  ↳ fatores essenciais, segundo Veatch, 69
  ↳ hierarquia hospitalar e, 157
  ↳ incongruência por trás da, 59-60, 75-6, 99-100, 116-8, 119-21, 182-3
  ↳ lateralização de funções para compreensão de, 76
  ↳ moralidade das, 48, 63, 69, 133, 138, 169, 171, 174, 182
  ↳ mudança de paradigma, 76
  ↳ paquera e, 22, 161
  ↳ perigo das, nas ditaduras, 168
  ↳ potencial ameaçador *vs.* a segurança (ou a "benignidade") da violação, 77
  ↳ prazer dos idosos ao compreender uma, 120
  ↳ preferências variam conforme país e idade, 118-22, 126
  ↳ primeiras formas possíveis, 97
  ↳ que matava as pessoas de rir, 125
  ↳ relação entre inconsciente e, 37, 61-2
  ↳ se perceber alvo de, como uma dor universal, 174
  ↳ sutileza como essencial nas, 62
  ↳ tentativa de entreter crianças e adultos, 62-3
  ↳ *timing*, 21, 109-13, 122, 146
  ↳ troca de modelos mentais e, 74-5
  ↳ valores ainda frágeis e, 172
  ↳ valores estabelecidos e, 171
  ↳ *ver também* humor; risada(s)/riso(s); sorriso(s)
piadas de advogados, ciclo de, 178
piadas de estupidez, 176
piadas de lâmpada, ciclo das, 178
piadas de loiras, ciclo de, 177-8
piadas de teor político, 82, 166-70
piadas de velório, 21, 47, 129-30, 137
piadas hostis, 45, 62
piadas inocentes, 61-3
piadas internas, 164
piadas machistas, 100, 172-4
piadas obscenas, 62
piadas perfeitas, 75
piadas racistas, 170, 172-4

↳ estereótipos negativos após ouvir, 173
piadas sexistas, 172-4
  ↳ experimentos relacionados aos direitos das mulheres, 173
piadas sobre estrangeiros, 175-7
piadas tendenciosas, 61-3
Piaget, Jean, 118
Platão, 55
playface, 87-8
Plessner, Helmuth, 36
Poehler, Amy, 17
poesia, vista como um brinquedo, 22
Poética (Aristóteles), 54
política, humor e, 82, 166-70
politicamente correto, 176
  ↳ discurso do, 170
  ↳ importância do, 174
Pompeia, destruição de, 108
prazer:
  ↳ evolução das espécies e, 90
  ↳ humor e, 9-10, 22-3, 30, 34, 38, 42-3, 44, 56, 58, 59, 63, 74-5, 92, 96, 112, 114, 120, 151-2
  ↳ "o prazer do aha!", 91
pressão sanguínea, risada e, 43, 103
pressões internas, riso utilizado como alívio das *ver* tensão, alívio da, riso e
primatas, 87, 104
  ↳ catação de piolhos e parasitas, 96
  ↳ brincadeiras, 87, 100
  ↳ *playface*, 87-8
  ↳ riso para manter o espírito amistoso, 94-5, 156-7
  ↳ significado do riso para os, 156-7
primeira risada, na etnia navajo, 114
profissionais de saúde, utilização de humor por, 13-4, 139-41, 146, 183
proposta modesta, Uma (Swift), 138

protocomédia, 97
Provine, Robert, estudos sobre as risadas, 36-7, 39-40, 95, 156
psicologia, 19-21
  ↳ do riso, 56, 188
  ↳ estudos sobre humor e riso, 13, 33-5, 42, 69, 72, 85, 105, 118, 135, 153-4, 161, 184
  ↳ evolutiva, 20
  ↳ positiva, 85
punch lines, 111-2

Q
quebra-cabeças, 90
Quintana, Mario, 184

R
racismo, 170-4
raiva, 15, 60, 65, 85, 89, 104, 136, 140, 184
Ramachandran, V. S.:, "mudança de paradigma", 76
ratos, brincadeiras entre os, 87
realidade, 75, 85, 140, 183
  ↳ contradições da, 13, 58-9, 140
  ↳ mascarar a, 61
  ↳ representações simbólicas da, 98
reatividade cardiovascular, risada e, 103
reavaliação cognitiva, 128
reciprocidade, 96
relacionamentos:
  ↳ anúncios e sites de, riso e humor mencionados em, 159
  ↳ humor e, 22, 159-61, 163, 186
  ↳ inteligência e humor nos, 161
  ↳ rir juntos nos, 163
relações hierárquicas, riso e, 21, 157-8
resiliência, humor e, 103
  ↳ *ver também* Holocausto; campos de concentração

respostas fisiológicas, 88
ressonância magnética, 91, 175
Rickman, Lily, 137
rir de e *rir para*, 156
risada(s)/riso(s), 11, 14, 17, 19-21, 36-7, 39-40, 58, 95, 110, 156, 183
↳ alívio e, 59, 60-4, 73, 91-2, 101, 111, 126-7, 135-7, 169
↳ ambientes de trabalho e, 21, 147-9
↳ ansiedade e, 126-7, 144-5
↳ aspectos, 19-21, 38-9, 42-3, 59, 70-1, 157
↳ benefícios, 21-3, 52, 58-9, 92, 97, 103, 144-5
↳ brincadeiras e, evolução das espécies e, 86-9
↳ classificação, 34
↳ como antídoto ao extremismo, 180-1
↳ como efeito do humor, 9
↳ como fundamental para manter a coesão dos bandos, 96-7
↳ como linguagem, 38-43
↳ como punição, 166
↳ como um fenômeno físico, 19
↳ como um ponto final sonoro, 39-43
↳ como um sinal da transcendência, 179, 183
↳ como uma experiência compartilhada, 92-3, 175, 185-6
↳ conexão da alma ao corpo, na etnia navajo, 114
↳ contato social e, 93
↳ contexto histórico e social e, 19, 39
↳ controlar a/o, 36, 38, 116, 120-1
↳ corrigir comportamentos inadequados, 67
↳ cortisol diminuído pela, 103
↳ dessensibilização provocada pelo, 65
↳ diferença entre sorriso e, segundo Plessner, 36

↳ do primata e do humano como homólogos, 94-5
↳ do sorriso ao, 35-8
↳ educação e, 21, 151-4
↳ fotos de atletas e, 104-5
↳ lugares improváveis e, 14, 21, 81-2, 133-46, 147, 154, 157, 181
↳ estímulos para, 20, 59-60, 75-8, 95-7, 115, 151, 185
↳ filosofia e compreensão do humor e do, 12, 19-20, 36, 46, 50, 54-6, 57-9, 60, 64-6, 68, 75, 78, 104-5, 130, 166, 179-80
↳ função na comunicação cotidiana, 42, 51, 63-4, 66, 112-3
↳ glóbulos brancos e, 142
↳ idade do primeiro, 113-4
↳ importância para a sobrevivência, 13, 59, 61, 101, 183
↳ impossibilidade de coexistir com a emoção, 64-5
↳ imunidade e, 142
↳ infarto como efeito de, 9
↳ lugares apropriados para a, 81
↳ mecanismo do, 37-8, 78, 101
↳ memória e, 44, 126, 151-2, 154, 179
↳ poder do, 10, 17, 22, 66, 82, 101-4, 107-8, 128, 147, 169, 174, 179-80, 182-4, 186
↳ ponto de vista sociológico, 102-3
↳ potencial, 10, 157, 179, 185
↳ pressão sanguínea, risada e, 43, 103
↳ primeira risada, na etnia navajo, 114
↳ primeira teoria psicológica do (Hobbes), 56
↳ psicologia do, 56, 188
↳ questões de gênero e, 21, 156, 158-9
↳ relação entre o sorriso e a, 35
↳ relacionamentos e, 22, 159-61, 163, 186
↳ resposta imunológica e, 142
↳ relações hierárquicas e, 21, 157-8

↳ relevância em um grupo social, 21, 86-7
↳ religião e, 54
↳ rir "de propósito", capacidade de, 97
↳ ritualização do, 94-8
↳ sentimentos positivos transmitidos pelo, 34, 45-7, 89, 91-2, 96, 115, 139-40, 179, 184
↳ sincero, como uma reação involuntária, 37, 38, 98
↳ síntese evolutiva do, 100-1
↳ sociologia do, 19-21
↳ status profissional e frequência do, em reuniões, 157
↳ tensão e, 59, 64, 84-5, 91-2, 101, 103, 111, 137
↳ teoria da "catação vocal" e, 96
↳ teoria da incongruência e, 57-60, 64, 73, 101
↳ teorias sobre o humor, 11, 18, 59, 75, 100
↳ trilha sonora com, em comédia da TV, 92-3
↳ usadas em mensagens de texto, 40-1
↳ violação da expectativa e, 58, 69, 84, 90, 115-8, 136, 173-4
↳ visto por Platão como ameaçador, 55
↳ *ver também* humor; sorriso(s); piada
risada compartilhada, união do grupo, 92-3, 175
risada genuína, 38, 43, 77
↳ *ver também* Duchenne, sorriso de
risada social, 21
risadas de fundo, em comédia da TV, 92-3
riso, O (Bergson), 64-7
riso, peças do quebra-cabeça do, 82-6
riso de afiliação, 34
riso de constrangimento, 28, 42

riso de diversão, 34
riso de dominância, 34
riso de escárnio, 42
riso de nervoso, 41, 98
riso emocional *ver* Duchenne, sorriso de
riso enganoso, 33
riso primata, homólogo ao riso humano, 94-5
riso reflexo do bebê, 21
riso solitário, da televisão, 93
riso terapêutico, 139-42
Ritz, Sandy, 139-41, 146
Rogers, Will, 166
rotina, cérebro em modo de espera na, 83
rudez (falta de humor), 55

s

sagacidade, 47
Saliba, Elias Thomé, 170
Sans Forgetica, fonte, 83
Santo Agostinho, 107
sarcasmo, 46-7
SARS, epidemia de (2003), 14
sátira, 47, 62, 118, 167, 182
satisfação, 12, 42, 61-2, 147
↳ integração e, 85
Schmidt-Hidding, Wolfgang, classificação do humor, 47
Schopenhauer, Arthur, 58
Sega, batalha com a Nintendo, por mercado, 72
Segunda Guerra Mundial, 133
↳ *ver também* Holocausto
Senna, Ayrton, morte de, 178
séries de comédia, 17, 92, 158

sexo, 127, 173
↳ evolução e, 90
↳ frequência de, estudo com estudantes, 161-2
sexo sem consentimento, 173
sfumato, técnica do, na pintura, 27
Shaw, George Bernard, 14
Sheldon, Sidney, 54
Shrek (2001), 63
Silvertown, Jonathan, 88
símios, 104
↳ *ver também* primatas
situações cotidianas/informais:
↳ humor em, 42, 51, 63-4, 66, 112-3
↳ *timing* nas, 109-10, 112-3
situações estressantes, formas de lidar com, 128, 141-5, 178
↳ *ver também* tensão, alívio da, riso e
Sobre o humor (Freud), 61
Sócrates, 55
software de análise faciais, 28-9, 33-4
solução de problemas, experimentos sobre, "pensar fora da caixa", 149-50
sorrir, encontrar motivos para, 16, 20, 68
sorrir por educação, 35
sorriso(s), 9, 39, 41, 43, 44, 62, 78, 92-3, 104-5
↳ análise do sorriso da *Mona Lisa*, 27-30, 33-4, 77
↳ arte e, 27-30
↳ como efeito do humor, 9
↳ de inferioridade, 104
↳ desenvolvimento na primeira infância, 113-4
↳ do sorriso ao riso, 35-8
↳ emoções por trás do, 28-35
↳ etimologia, 35-6
↳ luto e, 184-5
↳ primatas e, 104, 156-7
↳ relação entre a risada e o, 35

↳ sorriso sincero *vs.* sorriso forçado, 30-5
↳ *ver também* Duchenne, sorriso de; não Duchenne, sorriso de; humor; risada(s); riso(s)
sorriso da *Mona Lisa*, o, 27-34, 77
sorriso sincero *vs.* sorriso forçado, 30-5
Spencer, Herbert, ênfase nos músculos para explicar o riso, 60
stand-up, 65, 111-2, 136, 158
↳ *timing* no, 111-2
stand-up naturais, 136
status quo, piadas e, 170
sublimação, 61
subridere (sub-riso), 35-6
↳ *ver também* sorriso(s)
sudokus, 90
superioridade, sentimento de, 13, 34
superioridade, teoria da, 54-6, 64-5, 73, 101
↳ crítica de Hobbes à, 57
Swift, Jonathan, 138

T

tempo, 96, 107-13, 120
↳ conceito de, 107
↳ importância na nossa relação com o humor, 21, 107-8
↳ *ver também timing*
tempo do assunto, 108, 122-5, 126
tempo-emoção-graça, relação entre, 109
↳ *ver também timing*; tempo do assunto
Tempus edax rerum, provérbio latino, 107
tensão, alívio da, riso e, 59-60, 64, 84-5, 91-2, 101, 103, 111, 137
Terra Nova, Canadá, estudo sobre o humor discriminatório, 172
testes de QI, 162

"Theory of Humor, A" (Veatch), 69
timing, 21, 109-13, 122, 146
tolerância à dor, risada e o aumendo da, 22, 43, 136, 144
Torelly, Aparício (Barão de Itararé), 147
tortura, uso de humor para evitar, 81-2, 102-5
trabalho, uso de humor nos ambientes de, 21, 147-9
tragédia(s), 15, 128
  ↳ como uma forma de imitação, 55
  ↳ emoções negativas e, 124
  ↳ humor em situações de, 13, 21, 108, 122-4, 139, 143-4
  ↳ significado original, 50-1
  ↳ teoria da violação benigna e, 71-2
  ↳ transformada em comédia, 65-6
  ↳ *ver também* Holocausto; violação benigna, teoria da
Trapalhões, Os (1974-1995), 72, 110
Três Patetas, Os (1922-1970), 72
tristeza, 12, 15, 23, 28, 30, 85, 88-9, 158, 183

U

Universidade Columbia, Nova York, 184
Universidade da Califórnia, Berkeley, 184
Universidade da Carolina do Norte, 85
Universidade de Princeton, 42
Universidade Harvard, 28
Universidade Stanford, 69
útil *vs.* inútil, 22-3

V

Valéry, Paul, 151
valores estabelecidos, piadas e, 171-2
valores frágeis, piadas sobre, 172

Veatch, Thomas, 68-9
  ↳ teoria de N+V, 69-70
vida, como sempre com sentido, 134
Vieira, padre Antônio, debate sobre o humor, 12
viés de falso consenso, 181
vínculos pessoais, relevância dos risos nos, 21, 86-7
violação benigna, teoria da, 68-75, 122, 165, 171
  ↳ estudo sobre a intensidade da violação, 70-1
  ↳ teoria da incongruência e, 73, 75
  ↳ teoria da superioridade e, 73
  ↳ teoria do alívio e, 73-4

W

Warhol, Andy, 27
Warren, Caleb, estudo sobre a intensidade da violação, 70-1
Weaver, Sylvester, 93
Williams, Robin, 103
Wiseman, Richard, busca da piada mais engraçada do mundo, 124-6
Wu, Kuang-Ming, 59

Y

YouTube, canal no, 15

Z

zigomático maior, músculo, 32-3

CONHEÇA OS LIVROS DE DANIEL MARTINS DE BARROS

Pílulas de bem-estar

O lado bom do lado ruim

Rir é preciso

Para saber mais sobre os títulos e autores da Editora Sextante,
visite o nosso site e siga as nossas redes sociais.
Além de informações sobre os próximos lançamentos,
você terá acesso a conteúdos exclusivos
e poderá participar de promoções e sorteios.

sextante.com.br